D1458268

Voyage aux pays de l'amour

Infographie : Johanne Lemay
Révision : Brigitte Lépine
Correction : Élyse-Andrée Héroux et
Anne-Marie Théorêt

Catalogage avant publication de Bibliothèque et Archives nationales du Québec et Bibliothèque et Archives Canada

Salomé, Jacques

Voyage aux pays de l'amour

ISBN 978-2-7619-3394-0

1. Couples. 2. Amours. 3. Relations entre hommes et femmes. I. Titre.

HQ801.S24 2013 306.84'1
C2012-942471-4

01-13

Dépôt légal : 2013
Bibliothèque et Archives nationales du Québec

ISBN 978-2-7619-3394-0

DISTRIBUTEURS EXCLUSIFS :

Pour le Canada et les États-Unis :
MESSAGERIES ADP*
2315, rue de la Province
Longueuil, Québec J4G 1G4
Téléphone : 450-640-1237
Télécopieur : 450-674-6237
Internet : www.messageries-adp.com
* filiale du Groupe Sogides inc.,
filiale de Québecor Média inc.

Pour la France et les autres pays :
INTERFORUM editis
Immeuble Paryseine, 3, Allée de la Seine
94854 Ivry CEDEX
Téléphone : 33 (0) 1 49 59 11 56/91
Télécopieur : 33 (0) 1 49 59 11 33
Service commandes France Métropolitaine
Téléphone : 33 (0) 2 38 32 71 00
Télécopieur : 33 (0) 2 38 32 71 28
Internet : www.interforum.fr
Service commandes Export – DOM-TOM
Télécopieur : 33 (0) 2 38 32 78 86
Internet : www.interforum.fr
Courriel : cdes-export@interforum.fr

Pour la Suisse :
INTERFORUM editis SUISSE
Case postale 69 – CH 1701 Fribourg – Suisse
Téléphone : 41 (0) 26 460 80 60
Télécopieur : 41 (0) 26 460 80 68
Internet : www.interforumsuisse.ch
Courriel : office@interforumsuisse.ch
Distributeur : OLF S.A.
ZI. 3, Corminboeuf
Case postale 1061 – CH 1701 Fribourg – Suisse
Commandes :
Téléphone : 41 (0) 26 467 53 33
Télécopieur : 41 (0) 26 467 54 66
Internet : www.olf.ch
Courriel : information@olf.ch

Pour la Belgique et le Luxembourg :
INTERFORUM BENELUX S.A.
Fond Jean-Pâques, 6
B-1348 Louvain-La-Neuve
Téléphone : 32 (0) 10 42 03 20
Télécopieur : 32 (0) 10 41 20 24
Internet : www.interforum.be
Courriel : info@interforum.be

Gouvernement du Québec – Programme de crédit d'impôt pour l'édition de livres – Gestion SODEC – www.sodec.gouv.qc.ca

L'Éditeur bénéficie du soutien de la Société de développement des entreprises culturelles du Québec pour son programme d'édition.

Conseil des Arts du Canada — Canada Council for the Arts

Nous remercions le Conseil des Arts du Canada de l'aide accordée à notre programme de publication.

Nous reconnaissons l'aide financière du gouvernement du Canada par l'entremise du Fonds du livre du Canada pour nos activités d'édition.

Jacques
Salomé

Voyage aux pays de l'amour

Une société de Québecor Média

Les pays de l'amour ont des territoires affectifs,
et des paysages relationnels multiples.
Ils sont parsemés de sentiers secrets,
de sources ardentes,
de collines sensuelles
et de forêts mystérieuses.
Les pays de l'amour,
véritables offrandes au partage
avec un être aimé,
sont ouverts à tous.
Il faut souvent toute une vie
pour oser les parcourir
et s'y abandonner.
Il est des pays ouverts et ensoleillés accessibles à chacun
et d'autres plus cachés, plus difficiles à atteindre.
Les pays de l'amour n'appartiennent à personne,
ils sont semblables à des terres vierges
à découvrir et non à conquérir.
Je me suis aventuré sur le territoire
de quelques-uns de ces pays
et j'invite chacun à prendre
le même risque ou le même plaisir,
avec comme seul repère
cette balise précieuse qui scintille au profond de nous,
le besoin de se respecter et de pouvoir s'aimer
pour pouvoir mieux aimer et pourquoi pas
être aimé en retour.

Quand un amour m'habite

Quand un amour m'habite
il fait le plein en moi.
Il occupe tout l'espace de mon corps,
et aussi de mon cœur et de mes pensées.
Il devient un cadeau vivant
pour chacune de mes cellules.
Il est un soleil dans l'immensité
de mes nuits.
Il est le feu, l'air, l'eau, la terre
et fait naître une étoile nouvelle
dans chacune de mes respirations.
Il est présent dans tout ce qui m'entoure,
dans chaque feuille d'arbre,
dans chaque caillou du chemin,
dans chaque nuage
comme dans l'infini du ciel.
Sa source est inépuisable,
car elle ne vient de personne d'autre
que du profond et du plus doux de mes émois,
enfin révélé et offert.

Oser le voyage

Il y a en chacun d'entre nous une aspiration profonde, parfois irrésistible, à aimer et à être aimé. Pour beaucoup s'ajoutent le désir et la volonté d'aller au-delà de la rencontre amoureuse et de créer une relation de couple fiable dans la durée.

Ce voyage aux pays de l'amour est une invitation à s'interroger sur les découvertes et les errances qui vont traverser et bouleverser une relation amoureuse quand elle devient une relation de couple. Au-delà des émerveillements et des éblouissements qui illuminent les premiers temps d'une rencontre amoureuse, il s'agit de mieux comprendre quelques-uns des mystères de l'amour. Non seulement pour nous permettre d'être plus lucides sur quelques-uns des enjeux, péripéties et obstacles qui vont inévitablement surgir au cours d'un cheminement commun, mais aussi pour tenter d'avancer ensemble et de construire une relation de couple qui puisse s'inscrire dans un projet de croissance pour chacun des protagonistes.

Comme nul ne sait à l'avance la durée de vie d'un amour, nous savons, même si nous souhaiterions l'ignorer, que s'engager dans l'aventure amoureuse est toujours risqué.

Les écueils les plus redoutables se concrétisent quand il y a des sentiments asymétriques, quand il n'y a pas de sentiments en réciprocité, quand les ancrages qui structurent une relation de couple ne sont pas présents, quand les résurgences du passé altèrent le présent d'un quotidien qui est à créer à tout instant. Autant de points forts et de repères à créer, à baliser et à respecter.

Une partie non négligeable de la poétique et de la littérature universelles peut se comprendre comme une tentative de réponse à un ensemble de questions vieilles comme le monde : comment conserver la magie des premiers émois ? Que faire pour maintenir vivace le désir d'être ensemble ? Comment faire durer l'amour ? Comment lui éviter les pièges de la répétition, l'usure et la monotonie du quotidien ? Comment affronter les vertiges ou les absences du désir, les errances de l'âge ? Comment ne pas se leurrer avec l'illusion possible qu'un changement de partenaire puisse être une solution ? Que faire quand nous sommes emportés par une passion et que celle-ci dévore notre vie ? Que nous arrive-t-il quand nous sommes confrontés à la séparation, à la perte d'un être cher ?

En présentant un ensemble de textes consacrés à ces thèmes, je propose un voyage que je souhaite passionnant vers les pays connus et moins connus de l'amour.

« Dis, tu sais, toi, ce qu'est vraiment l'amour ? »

Un jour, un ami m'a posé, sans autres précautions, très abruptement même, toute une série de questions sur l'amour.

« Est-ce que tu sais, toi, ce qu'est vraiment l'amour ?

— Euh oui, un peu, pas toujours ! Enfin je pense savoir, même si j'ai changé d'opinion plusieurs fois dans ma vie. Ce qui est sûr, c'est que je crois que je sais reconnaître l'amour pour l'accueillir en moi quand il est là et recevoir l'amour de l'autre s'il se dépose sur moi !

— D'accord, mais qu'est-ce que c'est exactement, l'amour ?

— Aujourd'hui, je crois que l'amour est un sentiment rare, rare comme l'eau pure, car il est souvent pollué par beaucoup de maladresses liées à notre immaturité. Mais avant de t'en dire plus sur l'amour, il faudrait que je te parle aussi des pseudo-amours.

— Des pseudo-amours ?

— Ce sont des sentiments qui se font appeler "amour", mais qui ne sont pas de l'amour. Il s'agit plutôt de manifestations sensorielles, d'émois sensuels, d'expressions chargées d'affectivité ayant l'apparence de l'amour, mais qui sont loin, très loin d'être de l'amour !

— Mais alors, comment peut-on reconnaître le vrai amour ?

— Déjà, il ne faut pas confondre les déclarations d'amour avec de l'amour !

— Moi, si je dis "je t'aime", c'est que c'est vrai. D'ailleurs j'ai du mal à le dire, je ne suis pas à l'aise avec ces mots-là. C'est à l'autre de sentir que je l'aime !

— Voilà un début de réponse, l'amour, c'est ce que l'on sent, mais pas chez l'autre, chez soi. Ce que l'on sent chez l'autre, c'est plutôt de l'ordre de la croyance: nous croyons qu'il nous aime! Et tant que nous le croyons... nous nous sentons aimés.

– On ne peut donc jamais être sûrs de l'amour de l'autre!

– Les faux amours sont malins, ils s'arrangent pour ressembler à de l'amour. Par exemple, le faux amour de réassurance est destiné à apaiser les inquiétudes de l'autre et peut-être même à le maintenir en dépendance: "Mais bien sûr que je t'aime, tu dois bien le sentir, ne suis-je pas avec toi, tout proche, alors que je pourrais être ailleurs?" Ou alors on dit à l'autre: "Je t'aime" et cela veut dire: "Aime-moi." Cette demande n'est pas de l'amour, c'est plutôt une sorte d'exigence déguisée.

– Pourtant, si on a le courage de dire: "Je t'aime" à quelqu'un, cela veut dire qu'on l'aime!

– Attention, ne confondons pas aimer et être capable de donner de l'amour. Je peux dire à ma blonde (qui est brune): "Je t'aime" et que rien ne sorte de moi pour venir jusqu'à elle! Il y a des constipés de l'amour, tu sais!

– Je savais bien que l'amour ne pouvait se contenter de mots, qu'il fallait quelque chose de plus!

– Plein de choses en plus. Si un amour se réfugie seulement dans les mots, c'est qu'il est très lointain, même quand les corps sont proches, ou qu'il n'est pas très vivant!

– Moi, j'ai attendu des années qu'une femme me dise: "Je t'aime."

– Cela veut simplement dire que tu avais besoin d'être aimé. Cela ne dit pas si tu avais de l'amour en toi, en direction d'une personne unique et, surtout, si tu étais prêt à le donner!

– Au début de ma vie d'adulte, j'avais besoin d'avoir la certitude que si j'aimais, l'autre devait répondre à mon amour!

– C'est une sorte de marché que tu voulais! Une espèce de troc relationnel sur la base de: "Je t'aime si tu m'aimes!" Je ne peux appeler ça de l'amour. L'amour est un sentiment qui se traduit, pour celui qui l'éprouve, par une vibration, un ensemble de ressentis, d'émotions, qui le poussent vers une personne bien définie, qu'elle soit présente ou absente, et dont l'existence lui semble soudain vitale, essentielle et parfois plus importante que la sienne. Si ce sentiment est présent en toi, tu le sens. Il est indépendant d'autres sentiments qui peuvent être présents chez toi ou chez l'autre. Ce que tu proposais en l'appelant "amour", c'est en fait un modèle de relation qui tente de capter la présence et l'amour de l'autre. Tu offrais en fait une relation contenant une demande, qui était elle-même porteuse d'une injonction et d'une exigence indirecte.

— Mais je ne veux pas aimer dans le vide, j'ai besoin de mélanger mon amour à celui de l'autre !

— Toi, tu ne veux pas de l'amour, ce que tu veux, c'est une assurance tous risques ! Mais cette assurance n'existe pas dans le domaine amoureux ! C'est le risque que prend tout amour, d'être reçu ou pas, d'être accueilli et amplifié ou non, de trouver un écho chez l'autre ou d'être simplement "consommé" par l'autre. Ce qui peut mieux nous faire comprendre combien les dynamiques amoureuses sont multiples, chaotiques et quelquefois labyrinthiques !

Si l'un dit « je t'aime » et que l'autre répond "moi aussi", ce qu'il peut aimer, c'est surtout l'amour que l'autre a… pour lui ! Comme tu peux l'entendre, même si ce que je te dis ne va pas te faire plaisir, dans cette dynamique-là, on est carrément dans la consommation : l'un se contente de consommer l'amour de l'autre, surtout s'il adore être aimé !

— Je sens que tu veux me décourager et même me désespérer ! Il doit bien exister quand même de vrais amours !

— Il y en a certainement, encore faut-il accepter de les laisser se construire et grandir un peu en nous. Au début de la vie, un bébé attend d'être aimé inconditionnellement. Il a besoin d'être accepté tel qu'il est. Et le plus souvent, il reçoit cet amour-là de ses parents. Un amour qui lui est donné gratuitement, sans demande de réciprocité. Lui se contente de le recevoir. Puis, en grandissant, un enfant va sentir qu'au-delà de l'attachement qu'il a pour ses parents, il commence à développer de l'amour envers eux, il les aime. Il a envie de leur donner à son tour de l'amour. Un amour différent pour chaque parent. Et puis il découvre que ses sentiments sont instables, qu'ils peuvent être bousculés et mis à mal par des refus, par des interdits ou par le surgissement d'événements familiaux qui vont le faire douter d'être aimé. Ce qui fait qu'à certains moments il peut aimer très fort l'un ou l'autre de ses parents et à d'autres le détester. En particulier quand il a le sentiment que sa mère ou son père ne le comprend pas, est injuste ou exige trop de lui !

– Oui, c'est vrai ça, enfant j'avais honte de détester ma mère à certains moments, alors que je l'aimais !

– Ne mélangeons pas. Il y avait, d'un côté, ton amour pour ta mère (ou ton père) et, de l'autre côté, la relation qu'elle te proposait. Je vais inventer une histoire, qui est un peu la mienne. Tu as quatorze ans, tu es amoureux de la sœur de ton meilleur copain, tu veux sortir ce soir parce que c'est son anniversaire, c'est un très beau désir, réalisable, car elle n'habite pas loin. D'ailleurs, ses parents à elle sont d'accord, mais tes parents t'interdisent de sortir. Tu vas les détester, mais en fait, ce que tu n'aimes pas, c'est leur interdit, leur refus ! Mais toi tu vas imaginer que c'est eux que tu n'aimes plus ! Tes parents ont refusé de t'accorder cette permission parce qu'ils t'aiment, qu'ils veulent le meilleur pour toi, parce qu'ils se sentent responsables de tes besoins (dormir, te reposer, être en forme le lendemain pour l'école...).

« C'est le plus souvent le comportement, la relation qu'ils nous proposent à un moment donné, les attitudes ou les paroles de nos parents que nous n'aimons pas ! Nous confondons (eux aussi d'ailleurs, à notre égard) la personne et le comportement. Alors parfois on tente de les mettre mal à l'aise en leur disant : "Je te déteste, je ne t'aime pas, je ne veux plus t'aimer..." On leur fait du chantage : "Si tu m'aimais vraiment, tu me laisserais sortir" ou : "Tu m'achèterais ces rollers !" Surtout à l'adolescence, où nous sommes très habiles, nous maltraitons le lien que nous avons avec eux, nous le mettons à l'épreuve, comme pour vérifier la solidité de l'amour qu'ils prétendent avoir envers nous !

« C'est à eux de nous apprendre à ne pas mélanger sentiments et relations, car cette confusion risque de se retrouver plus tard dans nos relations amoureuses ou de couple !

– Alors tu crois que, moi aussi, je risque de mélanger, comme ça, sentiments et relations ?

– C'est très fréquent, d'autant plus que, souvent, nous ne savons pas aimer parce que nous avons du mal à nous aimer ! Quand on a peu de confiance en soi, peu d'estime de soi, on recherche en permanence des confirmations. Ne nous aimant pas, nous sommes d'autant plus dans le besoin d'être aimés.

— Alors il faudrait que chacun de nous apprenne à s'aimer pour pouvoir aimer ? Tu as parlé d'immaturité, il faudrait donc apprendre à grandir avec le cœur…

— Oui, on pourrait le dire comme cela, grandir avec le cœur. »

Des heures plus tard, mon ami ne savait toujours pas ce qu'était l'amour, mais, sans me décourager, j'avais tenté inlassablement de lui transmettre le peu que je croyais savoir sur ce sentiment complexe, parfois merveilleux et parfois redoutable, mais toujours si recherché.

Qu'en est-il de la passion amoureuse ?

J'ai rassemblé, un peu dans le désordre, différentes questions qui me sont posées régulièrement à propos de la passion amoureuse. Le sujet est complexe et mériterait plus. Je donne ici ma position autour de quelques pistes de réflexion. Une position qui est toujours en gestation, autrement dit, en recherche.

La passion ne naît pas nécessairement à la suite d'un coup de foudre (dans le coup de foudre, faut-il le rappeler, il y a, le plus souvent, plus de coups que de foudre !). La passion peut naître d'une idéalisation de l'autre (rencontre épistolaire, éloignement, concordance avec un fantasme...) ou d'une résistance, d'un refus qui va pousser le « rejeté » à faire une sorte de « forcing » en voulant imposer l'amour dont il se sent porteur. La passion amoureuse peut se créer aussi à partir d'une projection, comme si l'un se focalisait sur l'autre, comme s'il tentait d'aspirer d'un seul coup toutes les potentialités, les espérances détenues par celui ou celle qui va devenir l'objet de sa passion.

Elle peut surgir et s'imposer dans une rencontre amoureuse quand les sentiments de l'un sont non seulement amplifiés, mais confondus avec ceux de l'autre. La passion amoureuse me semble aussi être le résultat d'une exigence latente, plus ou moins voilée, chez quelqu'un qui veut absorber l'autre, l'intégrer, l'amalgamer à lui... Mais elle peut également découler du besoin impérieux de se sentir amoureux fou pour avoir le sentiment d'exister.

La passion amoureuse, contrairement à ce que beaucoup imaginent, n'est pas de l'amour, mais une maladie de l'amour. En ce sens où elle peut envahir tout l'espace intérieur de celui qui la vit et, ce faisant, asservir tous ses autres centres d'intérêt. Elle peut même phagocyter celui ou celle qui en est l'objet. Et plus ou moins rapidement, une des deux personnes ne supportera plus l'excessivité, la présence trop présente, les appels à toute heure du jour (et de la nuit), les témoignages d'amour à tout bout de champ. Quant à celui qui se sent possédé par la passion, il se plaindra fréquemment de la non-réciprocité de la flamme de l'autre (qui ne brûle pas, effectivement, de la même façon), il accumulera les demandes et les reproches, percevant les réponses de l'autre comme trop tièdes, trop timorées par rapport à ses attentes.

L'amour passionné ne doit pas être confondu avec la passion amoureuse. C'est un amour qui est amplifié, agrandi à la fois par la seule présence de l'être aimé, par ses réponses, ses attentions, ses manifestations d'affection ou de tendresse, aussi minimes soient-elles. C'est un amour ensoleillé, généreux, porteur de vie, chargé d'une puissante énergie bienfaisante qui ne contient pas les aspects destructifs, voilés ou plus visibles de la passion amoureuse.

L'amour passionné se développera d'autant plus s'il y a réciprocité au niveau des sentiments (« Je t'aime et je me sens aimé par toi ») et si les deux partenaires se sentent reliés par des centres d'intérêt communs, une sensibilité proche, une perception voisine des enjeux fondamentaux de l'existence, s'ils ont des rêves de vie en commun…

Si la passion amoureuse est une maladie, comme je le pense, elle ne peut être bénéfique ni à celui qui l'éprouve, ni à celui qui en est l'objet et qui peut la subir sans toujours réussir à s'en dégager. La passion amoureuse est souvent l'équivalent d'une monomanie qui n'évolue pas, elle est un tout, elle est ou elle n'est pas. Ce qui signifie qu'elle peut disparaître aussi soudainement qu'elle a surgi, en particulier quand elle s'investit sur un autre objet d'amour. Elle peut aussi, au contraire, durer, se consolider et prendre des proportions insupportables, secréter des tensions et susciter un climat irrespirable, jusqu'à envahir à la fois celui qui la porte et celui qui en est l'objet. Cela peut déboucher sur la disparition de l'un ou de l'autre (suicide, passage à l'acte), ou encore par la fuite de celui qui se sent envahi, dépossédé de ses propres sentiments ou de son espace vital.

La passion amoureuse, paradoxalement, ne me semble pas pouvoir mener à l'amour en réciprocité, car elle s'impose. Contrairement au sentiment amoureux ou à l'état d'amour naissant qui, lui, est un mouvement irrépressible qui porte vers l'autre, non pas pour l'envahir, mais plutôt pour lui offrir tout le bon qu'il y a en nous et que nous lui offrons sans contrepartie. L'amour naissant va ensuite évoluer pour devenir de l'amour, un sentiment plus stable, plus apaisé, plus calme.

Francisco Alberoni, dans *Le choc amoureux*, décrit le premier état comme une étape révolutionnaire de bouleversement créateur et le second état comme plus institutionnalisé, plus construit.

Ceux qui me demandent mon avis sont, le plus souvent, ceux qui sont les réceptacles d'une passion amoureuse, qui la subissent, en quelque sorte. Je les invite à trouver la bonne distance, à se respecter au plus près de leurs attentes et de leurs zones de tolérance. Quand l'un des membres d'un couple se sent enfermé dans une passion, qu'il s'interroge, étouffe ou cherche à trouver la bonne distance, voire à se libérer, je ne lui donne pas de conseils, mais tente plutôt de lui montrer quelques chemins possibles pour éviter les plus gros écueils, ceux qui contribuent à l'entretien des malentendus ou des frustrations qui s'installent de façon récurrente dans ce type de relation. En particulier, je tente de l'aider à prendre conscience de la façon dont, tout en souffrant, il va quand même collaborer aux comportements outranciers de l'autre ! Je l'invite à mieux se définir, à se respecter, à se donner les moyens d'inscrire une distance de temps, d'espace, à tenter très concrètement de faire cohabiter une double intimité : une intimité commune et partagée avec une intimité personnelle et réservée. J'insiste aussi pour qu'il prenne le temps d'échanger et de partager en s'appuyant sur un code précis : convenir avec l'autre de laisser deux minutes d'expression à chacun sans qu'il soit interrompu par l'autre, pour parler de lui-même et non de l'autre. Pouvoir se proposer ainsi une écoute mutuelle pour exprimer les ressentis, les différents vécus, peut-être aussi pour envisager de consulter un tiers, l'équivalent d'un coach, qui sera un référent pour leur permettre de mieux baliser, au-delà des sentiments, la relation. J'invite celui qui subit ou qui est l'objet d'une passion amoureuse à trouver et à maintenir la bonne distance, à se respecter au plus près de ses attentes et de ses zones de tolérance.

À celui qui vit, qui est possédé par une passion, j'ai peu à dire, car le plus souvent il ne m'entendra pas, pris dans cette espèce de folie amoureuse qui le dévore, qui source de chaque pore de sa peau, qui occupe et terrorise chaque espace de son esprit. J'adopte un positionnement qui consiste à faire passer le message suivant : je ne souhaite pas collaborer à votre façon d'aimer, ni vous encourager à poursuivre de cette façon, ni vous proposer une autre façon, seulement vous inviter à découvrir qui vous aimez réellement quand vous prétendez aimer votre partenaire !

Même si beaucoup de femmes et d'hommes souhaitent vivre une passion amoureuse, celle-ci est plus rare qu'on peut l'imaginer, et c'est heureux. Il peut y avoir des emballements, des coups de cœur, des éveils amoureux à tout âge, des élans, des coups de tête (en plus des coups au cœur), des attirances folles qui auront à se confronter aux sentiments, aux peurs, aux résistances à l'acceptation ou au refus de celui qui en est l'objet. Car pour l'amour et encore plus pour l'amour passionné, il vaut mieux être deux !

Et si on parlait vraiment d'amour ?

Un premier amour, qui peut surgir à tout âge, est souvent semblable à un prématuré lancé trop tôt dans la vie. Aussi faudra-t-il en prendre soin, le protéger et surtout le respecter, ce qui n'est pas évident pour plusieurs. Bien sûr, il nous restera toujours la possibilité de le maltraiter, ce dont certains ne se privent pas. Cette maltraitance a un sens. Nous voulons vérifier, comme nous l'avons parfois fait à l'adolescence avec nos parents, la solidité de l'amour de l'autre en le mettant à l'épreuve pour savoir s'il saura nous garder !

Je crois que l'amour est avant tout une vibration, une énergie qui nous habite et nous transporte, au sens fort du terme, vers un autre, et de préférence vers l'amour d'un autre, même si celui-ci est encore balbutiant. Ce que nous recherchons, sans oser toujours le reconnaître – ce qui donne lieu à des malentendus –, c'est de rencontrer, en face du nôtre, un amour en réciprocité. Un amour qui s'accorde, qui résonne avec celui qui nous habite. Ce qui arrive parfois… mais moins souvent que nous l'espérons.

L'amour, quand il est présent en nous, va labourer et ensemencer notre imaginaire, faire éclore de nombreux rêves et, par là même, commencer à nous transformer. L'amour, en ce sens, est l'une des ressources humaines qui nous permettent d'accéder au meilleur de nous-mêmes (et de l'autre) et parfois aussi… au pire !

L'amour ne peut se dépouiller de ses rêves, car l'amour rêve d'amour. Il est porteur d'espérances, donc aussi d'exigences !

Et puis, il nous faudra apprendre à mieux distinguer l'amour de ce qu'il serait possible d'appeler les pseudo-amours. Ces pseudo-amours qui se présentent masqués, derrière des apparences sympathiques ou séduisantes, qui ont le goût, l'odeur, le charme, la consistance de l'amour, mais qui n'en sont qu'un ersatz, tel l'amour de besoin, qui est surtout une demande, et qui peut se transformer en exigence quand le « je t'aime » veut dire : « Je veux être aimé par toi » ! Il y a aussi les amours de manque où, en disant « je t'aime », on demande en fait à l'autre de nous aimer pour remplacer un amour antérieur qui s'est dérobé, ou un amour actuel défaillant ou insatisfaisant. « Tu dois m'aimer comme ma mère, comme mon père n'a pas su le faire ! » Il y a aussi les amours de compensation, porteurs d'une attente redoutable : « Je voudrais être aimé par toi, comme un tel (une telle) aurait dû m'aimer. » Un autre pseudo-amour est l'amour de peur lié à l'angoisse d'être abandonné ou rejeté : « Je vais t'attacher avec mes "je t'aime", et tu devras me jurer de ne jamais me quitter. » Il y a bien sûr des amours terroristes, qui veulent s'imposer et faire naître l'amour chez l'autre : « Puisque je t'aime, tu dois m'aimer... », ou encore l'amour de consommation, dont j'ai parlé plus haut, dans lequel c'est l'amour de l'autre qui est aimé et non sa personne : « J'aime que tu m'aimes... »

Il faut parfois du temps pour savoir différencier l'amour des pseudo-amours et reconnaître ce que j'appelle le « don d'amour », c'est-à-dire un amour qui sera porteur d'un mouvement, d'une direction. Un amour qui vient vers nous, telle une offrande offerte sans contrepartie. Un amour donné gratuitement, même si nous souhaitons (intérieurement) qu'il trouve un écho chez l'autre et soit amplifié par lui. L'amour de type oblatif contient des ressources étonnantes, car il est semblable à un feu qui s'autoalimente en permanence au seul souvenir, à la présence ou à l'absence de l'être aimé.

Tout amour est à la fois de l'ordre de la révélation et de la création. Certains partenaires amoureux peuvent rester fixés ou enkystés au temps de la révélation sans se donner les moyens de nourrir, d'amplifier, d'agrandir leurs sentiments dans les grands rires de la vie, avec toutes leurs ressources et leur vitalité.

De l'amour de soi à l'amour de l'autre

L'amour de soi n'est pas une notion très valorisée dans nos sociétés. On pourrait même dire qu'il n'est pas bien vu de s'aimer, de s'accorder de l'intérêt ou de l'affection, car on est très vite catalogué comme égoïste ou égocentrique, voire narcissique.

Et pourtant, le plus beau cadeau que nous puissions faire à nos enfants n'est pas tant de les aimer que de leur apprendre à s'aimer. Un enfant qui ne s'aime pas sera par la suite un adulte qui aura beaucoup de mal à aimer et qui risque d'être déchiré par le besoin tyrannique d'être aimé !

On me demande souvent quelle serait alors l'origine de l'amour de soi. Non pas d'un amour narcissique et égocentrique, mais d'un amour de bienveillance, de respect, de tendresse envers nous-mêmes, envers l'enfant que nous avons été, que nous portons encore en nous, à tous les âges de notre vie.

Les points d'ancrage favorisant la naissance de l'amour de soi sont relativement peu nombreux, mais ils sont essentiels pour construire en nous une sécurité interne suffisante pour ne plus rester dans une dépendance ou un attachement trop infantile.

Le premier de ces ancrages sera de reconnaître et de respecter nos besoins relationnels fondamentaux afin de pouvoir nous développer, nous positionner et nous affirmer avec suffisamment de confiance et d'estime de soi. Cela pour envisager la possibilité d'aimer… un autre que soi-même. Car si nous ne savons pas nous aimer, nous serons sans cesse dans le besoin d'être aimés et risquerons alors de proposer à celle ou à celui que nous rencontrons une relation porteuse d'attentes qui peuvent devenir terroristes, en faisant peser sur cette personne des exigences qui l'obligeront à répondre en permanence à notre besoin d'être aimés. Il faut donc apprendre à prendre soin de nos propres besoins relationnels, que je rappelle ici brièvement: besoin de se dire; besoin d'être entendu; besoin d'être reconnu; besoin d'être valorisé; besoin d'intimité; besoin d'exercer une influence sur nos proches et besoin de rêver... Avec en filigrane une attente implicite relative au besoin d'être aimé à travers une relation de respect, de croissance et de créativité.

L'amour de soi n'est pas lié, comme beaucoup le croient, à l'amour reçu de nos parents, mais il a pour origine la qualité des relations significatives présentes (ou défaillantes) vécues dans notre enfance et, par la suite, celles que nous allons créer ou qui nous sont imposées à l'âge adulte. C'est ainsi que les fondements de l'estime (ou de la mésestime) de soi, comme de la confiance (ou de la non-confiance) en soi, peuvent inscrire durablement en nous les bases de notre capacité (ou de notre incapacité) à nous aimer.

C'est l'amour de soi qui ouvre à l'amour de l'autre et à la possibilité de proposer un amour suffisamment libéré d'un désir de possessivité ou d'appropriation pour permettre d'établir des relations durables et fiables, non seulement avec des proches, mais aussi avec ceux qui seront suffisamment significatifs pour devenir des compagnons susceptibles de cheminer avec nous et de nous accompagner le plus longtemps possible durant notre existence.

Encore un autre regard sur l'amour de soi

Il est impossible, je crois, de donner, ni même de proposer une définition complète ou satisfaisante de l'amour à tous ceux qui s'intéressent (et ils sont nombreux !) à cette manifestation irrationnelle et unique d'un sentiment qui surgit de façon imprévisible et incroyablement puissante en se focalisant sur une seule personne : l'être aimé.

Chacun d'entre nous a une vision, des explications plus ou moins rationnelles, des expectatives implicites ou explicites de ce que devrait être l'amour. Et surtout de l'amour qu'il désire recevoir, ce qui est déjà le point de départ d'un certain nombre de malentendus et de déceptions.

En effet, la plupart du temps, quand nous parlons d'amour, nous parlons rarement de l'amour à donner ; nous évoquons le plus souvent l'amour que nous attendons, que nous souhaitons recevoir en réponse au nôtre : celui de l'être aimé !

Nous pouvons essayer d'évoquer ce qui nous habite, nous tiraille, nous agite ou nous remplit quand nous aimons, quand *nous sommes en amour*, quand nous nous sentons porteurs d'un sentiment central, d'une affection (mot ambigu, puisqu'on dit aussi une affection pulmonaire ou rénale !), ou encore d'un mouvement affectueux vers autrui. Mais il devient plus difficile de conscientiser de quoi est fait le sentiment d'amour, qui s'accompagne d'émotions, de ressentis bienveillants, d'élans irrépressibles, c'est-à-dire non contrôlables (sur lesquels nous n'avons aucun pouvoir). Un sentiment qui développe le plus souvent en nous une énergie positive (se traduisant par un état vibratoire) qui nous pousse en avant ou nous retient, tout au bord du ravissement ou de l'angoisse, d'aimer et d'être aimés en retour ! Énergie qui nous porte vers l'autre, qui nous fait fondre ou qui nous agrandit de l'intérieur. Comment se construit, se développe en nous la possibilité d'aimer, et donc d'avoir de l'amour à donner ? Cela est plus difficile à cerner.

Pour ma part, en avançant sur la pointe du cœur, je dirais que l'amour est porteur d'une lumière, d'une vibration, d'un mouvement capable de générer des émois, de la créativité (ou de la paralysie), de créer un sentiment[1] central autour duquel nous allons réorganiser une partie, sinon toute notre vie.

Je suis intimement persuadé qu'il est difficile d'aimer si on ne s'aime pas, si l'on n'a pas pour soi un amour de bienveillance, de respect, de tolérance ou de compassion envers l'enfant que nous avons été et l'adulte que nous sommes devenus.

Il convient donc de s'interroger : qu'est-ce que pourrait être l'amour envers soi-même ? Il s'agit parfois d'un sentiment décentralisé, souvent très éparpillé, propre à chacun d'entre nous, qui serait le résultat de la focalisation et de l'inscription en nous de plusieurs courants et mouvements intimes. Telle une source qui serait alimentée à la fois par une attention à soi, de la bienveillance, du respect, de la tolérance et de la compassion pour le bébé, l'enfant, l'adolescent et plus tard l'adulte qui est présent en nous. L'amour de soi n'est pas narcissique ou égocentrique, il est paradoxalement oblatif car tourné vers l'intérieur pour nous permettre de rencontrer le meilleur de nous afin de pouvoir, quand cela est possible, l'offrir.

L'amour de soi peut s'inscrire durablement à partir de trois ancrages :

- quand on reçoit, dans les relations significatives de notre vie, suffisamment de messages positifs pour alimenter notre

1. Dans le *Dictionnaire historique de la langue française,* le mot *sentiment* dérive de *sentir,* avec comme autres sens possibles : chemin (en irlandais), voyager (en haut allemand), compagnon de voyage (en gothique), méditer (en allemand). Dans l'ancien français, le mot signifie « une tendance affective stable et durable, l'inclinaison (positive : on lui veut du bien) d'une personne vers une autre ».

vivance, activer notre système énergétique, confirmer la confiance et l'estime de soi, susciter le plaisir d'être, alors les prémices de l'amour de soi émergent en nous, s'installent et commencent à s'exprimer;

- quand on sait se respecter en osant restituer ou remettre à l'autre (symboliquement) les messages toxiques qu'il nous a envoyés ou qu'il a pu déposer en nous. En lui confirmant que ceux-ci viennent bien de lui et donc lui appartiennent. Alors l'amour de soi se confirme et se consolide;
- quand il est possible de respecter la VIE qui nous habite en restant à l'écoute de nos besoins relationnels. Alors l'amour de soi prend toute son ampleur.

À partir de ces démarches qui vont inscrire en nous un potentiel disponible d'amour, je crois qu'il sera possible d'aimer, c'est-à-dire d'être capable d'offrir de l'amour à quelqu'un d'autre, quelqu'un que nous allons identifier, reconnaître comme un être cher ou important, que nous allons privilégier comme unique parmi toutes nos autres relations et connaissances.

Oser se dire en amour

Il y a, et cela est pour moi une certitude, beaucoup de pays au monde où l'on sait s'aimer, c'est-à-dire donner et recevoir en réciprocité de l'amour, mais plus rares sont les endroits suffisamment protégés où un amour peut s'accomplir en toute liberté. Je veux dire par là qu'il faut parfois chercher longtemps un de ces lieux bénis, un de ces rares endroits sur la planète où les femmes ont cette liberté d'être qui me paraît la plus essentielle, celle de pouvoir reconnaître et accepter leurs propres sentiments et de pouvoir en témoigner à leur convenance. Les hommes aussi, bien sûr, mais ils l'exercent certainement avec un peu plus de pudeur, d'errance ou de réticence.

Écrire ou dire: «Je t'aime» revient le plus souvent soit à tenter de témoigner de nos sentiments, de nos désirs, de nos projets envers l'être aimé, soit de s'interroger, de s'inquiéter ou de tenter d'avoir confirmation des sentiments, des désirs de l'autre à notre égard ou des projets qu'il serait possible de construire avec lui.

Mais écrire ou dire: «Je t'aime» n'est pas suffisant si cette déclaration ne s'accompagne pas de cette vibration infime, de ces signes subtils, de la chaleur ou de l'énergie qui doivent envelopper, amplifier, dynamiser les mots de l'amour. C'est tout cela, enrobé ou soutenu par une présence réelle, qui donnera à la personne qui reçoit une déclaration d'amour la certitude qu'elle est aimée réellement, profondément et durablement.

Car si l'amour se vit au présent, il n'a de cesse d'être entouré, bercé, stimulé par de multiples attentes, celles d'être sans cesse encouragé ou confirmé comme fiable dans la durée. «M'aimes-tu ?»; «As-tu de l'amour pour moi ?»; «Est-ce que ton amour est aussi fort, aussi fiable que le mien?»; «M'aimeras-tu toujours?»; «Aime-moi, et seulement moi!»; «Surtout, ne me déçois pas!»; «Ne me trompe pas!»; «Reste fidèle à la façon dont je te vois!»; «Privilégie ma présence et mon amour!»; «Donne-moi des preuves d'amour en acceptant quelques prises de distance avec d'autres relations et même (preuve suprême) quelques privations et renoncements pour moi!»

J'ai souvent souhaité montrer, dans les nombreux textes que j'ai écrits sur l'amour, combien il était nécessaire de le valoriser, combien il était possible d'aimer l'amour au lieu de le maltraiter par trop d'indifférence ou d'exigences. En même temps, j'ai tenté de souligner quelques-uns des enjeux cachés qui traversent la vie d'un sentiment amoureux. J'ai voulu démystifier aussi quelles conduites négatives, quels pièges, quelles violences parfois peuvent accompagner certaines relations amoureuses, et même les blesser durablement ou les détruire.

En proposant inlassablement à chacun d'apprendre à aimer l'amour, je m'inscris dans ce mouvement, cette espérance si vivante en moi que puisse circuler dans le monde plus d'amour, et pas seulement entre ceux qui prétendent aimer, mais entre ceux qui hésitent à aimer, ou qui ne connaissent pas encore l'émerveillement et le plaisir d'aimer.

Oser aimer

Pour ne pas réduire l'amour à des questions, pour ne pas l'enfermer dans des réponses, je n'ai pas d'autre choix que de témoigner, témoigner encore et encore à la fois de mes rêves et de mes ressentis. À partir de ma propre expérience et de celles de ceux qui ont bien voulu les partager avec moi, je vais tenter de présenter quelques-uns des visages et des cheminements de l'amour.

L'amour est certainement l'un des plus beaux sentiments qui puisse surgir dans notre existence. Un sentiment extraordinaire dans sa luminosité, dans son intensité, mais souvent accompagné d'une inquiétude diffuse, car s'il est capable de générer des émerveillements et des changements dans notre vie, il peut aussi causer des souffrances et des blessures. L'amour s'impose à nous comme un véritable paradoxe; c'est à la fois ce à quoi nous aspirons le plus, et ce que nous redoutons ou maltraitons parfois avec le plus de ténacité.

Nous sommes, la plupart du temps, sans toujours le savoir, de redoutables prédateurs envers l'amour. On pourrait dire que l'amour est très mal aimé. C'est une évidence quand nous pensons que personne ne nous apprend à aimer, et surtout à nous aimer.

Je suis plus que passionné par tout ce qui concerne l'amour et suis devenu, au fil des ans, un fervent amoureux de l'amour. Je me sens directement concerné à la fois par les émerveillements et les éblouissements qui peuvent nous habiter quand nous sommes dans les débuts d'une relation amoureuse, et aussi par les doutes, les erreurs et les péripéties qui traversent toute relation amoureuse quand elle devient une relation de couple!

J'ai dû écrire quelque dix ouvrages sur ce thème, et je découvre chaque jour que l'amour se présente à la fois comme un miracle et une succession de mystères. En trois quarts de siècle de vie, j'ai traversé plusieurs tempêtes amoureuses aux différents âges de mon existence, et chacune m'a donné, chaque fois, l'impression que c'était la première fois.

J'ai découvert avec le temps, c'est-à-dire l'âge, les cinq constantes qui permettent d'accueillir et de se confronter à l'irruption du sentiment amoureux :

- Il faut oser se réconcilier avec l'amour, en dépassant les injonctions ou les interdits que nous avons pu nous donner après un échec amoureux : « Moi, c'est fini. Je ne me laisserai plus jamais aimer ! D'ailleurs l'amour n'existe pas, je me leurrais lorsque je croyais que je pouvais être aimé ! »
- Il faut éviter de se laisser enfermer dans des pseudo-amours (aimer non pas la personne, mais l'amour qu'elle a pour nous ; aimer par peur de la solitude, par peur d'être quitté, abandonné ; aimer en voulant à tout prix être aimé en retour ; aimer pour que l'autre arrête de boire, cesse d'avoir d'autres relations, soit plus gentil...).
- Il faut développer la capacité de s'aimer, non d'un amour narcissique ou égocentrique, mais d'un amour fait de bienveillance, de respect, de tolérance envers soi, car si nous ne nous aimons pas, nous aurons du mal à aimer avec ce que j'appelle le « don d'amour ». Par contre, nous ressentirons le besoin d'être aimés, besoin pour lequel nous réclamerons en permanence l'amour de l'autre, et, ce faisant, nous risquons de lui proposer une relation plus ou moins contraignante ou pesante dans laquelle nous allons sans cesse lui demander, et parfois même exiger des preuves, des manifestations d'amour. Ce comportement peut être à l'origine de violence morale, psychologique et physique dans certains couples.
- Il faut avoir la disponibilité pour accueillir en soi un sentiment d'amour qui sera dirigé vers quelqu'un d'autre. C'est

ce qu'il serait possible d'appeler le « don d'amour » ou « l'amour oblatif ».

- Il faut accepter de recevoir un sentiment d'amour venant de l'autre et qui nous est (du moins pouvons-nous l'espérer) exclusivement destiné.

Pour qu'il y ait rencontre amoureuse entre deux personnes, plusieurs éléments doivent être présents en miroir chez l'un et chez l'autre. En voici quelques-uns :

- Il doit y avoir une attirance, c'est-à-dire un mouvement qui nous porte vers l'autre et pas seulement à cause d'un aspect physique, comme on le croit trop souvent, mais à cause d'une foultitude de petits signaux venant de toute sa personne qui vont nous appeler, mobiliser en nous des ressentis, des émotions en réponse. Je sais que parfois on confond la séduction et l'attirance, mais je n'ai jamais rencontré de séductrice ou de séducteur. Je crois plutôt qu'il existe deux types de personnes : des personnes séduisantes (qui ont du charme) et des personnes séductibles (qui sont attirées par l'autre).

  Séduisants, c'est-à-dire susceptibles d'attirer le regard, de mobiliser l'attention ou l'intérêt de l'autre, nous pouvons parfois l'être et d'autres fois pas du tout. Nous serions très étonnés de découvrir ce qui a touché l'autre, ce qui l'a attiré ou conduit vers nous. Plus tard, après la rencontre, nous allons tomber des nues en entendant l'autre nous dire, par exemple (ce fut mon cas) : « Ce qui m'a attirée chez toi, c'est que tu semblais si bancal, avec ta jambe un peu raide, que j'ai eu envie de te redresser, que tu puisses t'appuyer sur moi… » Alors que moi j'avais été attiré par le bleu de ses yeux et une petite ride sur le front qui lui donnait un air si sérieux que j'avais envie de la faire rire !

  Séductibles, nous le sommes lorsque nous avons une sensibilité particulière envers quelqu'un d'autre, lorsque nous sommes portés par un mouvement spontané vers une personne qu'on voudra rejoindre, de qui on aura envie de se rapprocher, avec qui l'on voudra s'ouvrir dans une relation privilégiée.

Quand quelqu'un vous traite de séductrice ou de séducteur, c'est la plupart du temps qu'il a une attirance envers vous mais qu'il n'ose la reconnaître, car cela pourrait le déstabiliser ou mettre en danger une relation dans laquelle il est déjà engagé. Accuser une personne d'être séductrice, c'est laisser croire que cette personne a le pouvoir de nous faire entrer dans ses désirs, que nous risquons d'être ou de devenir de pauvres victimes démunies devant elle. Dire d'une personne qu'elle est séductrice, c'est surtout renoncer à se responsabiliser face à une rencontre possible et accepter ainsi de reconnaître ce qui est touché, ce qui se passe réellement en nous.

- Il doit y avoir des désirs, pas seulement sexuels, mais aussi de proximité, désir d'être dans le regard de l'autre, de le faire entrer dans la bulle de notre intimité, d'être accueilli dans la sienne. Des désirs qui vont se rencontrer, s'accorder ou se télescoper, s'ajuster ou se combattre, s'amplifier ou se défaire.
- Il doit y avoir des affinités, qui pourront être semblables, complémentaires ou différentes, voire antagonistes. Quand nous découvrons que nous aimons comme l'autre Mozart ou Jean Ferrat, la montagne ou la mer, ou que l'un adore les livres de tel auteur et que l'autre les déteste.
- Il doit y avoir des sentiments, c'est-à-dire une chaleur, une lumière, une énergie et surtout une vibration nouvelle qui nous pousse vers l'autre, avec l'envie de lui donner le meilleur de nous.
- Il doit y avoir des choix inconscients, que nous ignorons au départ mais qui vont jouer par la suite, si nous formons un couple, un rôle très important dans la confrontation des comportements, des conduites ou des attitudes qui vont nourrir des forces de cohésion (nous maintenir ensemble) ou générer des forces d'éclatement (nous pousser à nous séparer).

Si une relation amoureuse devient centrale, il nous appartient de nous interroger sur les moyens que nous allons utiliser pour la nourrir, la dynamiser, la respecter et la protéger contre les dangers de la routine, de l'usure ou contre l'irruption d'un événement éprouvant pour l'un ou l'autre des partenaires.

Les bases d'une communication aimante avec la personne aimée sont relativement simples, à condition d'accepter de les mettre en pratique. Il conviendrait de clarifier dès le départ (et ensuite régulièrement), en passant de l'implicite à l'explicite, trois éléments primordiaux de la relation :

- Quelles sont nos attentes et quelles sont les siennes ? « Voici ce que j'attends de toi et d'aucune autre femme (ou homme) au monde ! »
- Quels sont nos apports et quels sont les siens ? « Qu'est-ce que j'ai envie de te donner, de t'apporter ? » Parfois nos apports ne correspondent pas aux attentes de l'autre. Nous donnons souvent en abondance ce dont l'autre n'a aucunement besoin, et l'autre peut nous donner à satiété ce que nous ne désirons absolument pas.
- Quelles sont nos zones d'intolérance, nos limites ou nos zones de vulnérabilité et quelles sont les siennes ?

Si, en plus, il est possible de mettre en pratique ce que j'appelle les règles d'hygiène relationnelle énoncées dans la Méthode ESPERE® (voir *Pour ne plus vivre sur la planète taire*, publié aux Éditions Albin Michel), nous nous donnons encore plus de moyens et de ressources pour rester ensemble plus longtemps. Voici quelques-unes de ces règles :

- Arrêter de pratiquer le ON pour accéder au JE (passer de la fusion à la différenciation).
- Ne pas parler de l'autre mais à l'autre, c'est-à-dire parler de soi, de son ressenti, de ce qui a été réveillé en nous par l'autre.
- Éviter de se défausser sur nos sentiments quand nous avons un différend relationnel : « Mais tu sais, moi, je t'aime ! »

Arrêter de peser sur les sentiments de l'autre: «Si tu m'aimais vraiment, tu n'aurais jamais fait ça!»
- Maintenir des rapports d'influence (qui influence qui?) en alternance.
- Apprendre à affronter et à régler les problèmes relationnels dans la sphère relationnelle en prenant la responsabilité de ce que nous disons et de ce que nous faisons. L'autre en retour doit prendre la responsabilité de ce qu'il entend et de ce qu'il va en faire.
- Permettre à l'autre (et oser pour soi) de dire son ressenti. Nous restons trop souvent coincés sur les faits, sur l'explication ou la justification de ce qui s'est passé ou pas. Ce n'est pas ce qui nous arrive qui est important, c'est la façon dont nous le vivons.
- Savoir que toute relation intime va réveiller ou remettre au jour l'enfant qui est en nous. C'est ainsi qu'à la table conjugale, dans la voiture qui descend vers le midi des vacances ou dans le lit, nous sommes parfois un adulte et parfois un enfant blessé, humilié, apeuré ou encore terrorisé par le réveil de son passé. Nous devons accepter en nous la présence de cet enfant, apprendre à l'entendre, à lui faire une place à certains moments de la vie de couple sans le juger ou le rejeter. L'attitude à privilégier pour établir une relation saine viable, c'est de ne pas alimenter le réactionnel qui surgit parfois chez l'autre ou… chez nous!
- Éviter de vouloir rectifier le ressenti de l'autre, de vouloir le déloger de ses émotions ou de tenter de lui démontrer qu'il ne devrait pas penser, sentir ou agir de telle ou telle façon!

Quelques conduites et comportements sont autant de pièges récurrents à mieux conscientiser et à éviter:

- Vouloir que l'autre devine nos désirs du moment, qu'il éprouve le même ressenti, les mêmes sentiments que nous et, ce faisant, tenter d'imposer ou d'entretenir le mythe de la

réciprocité : « Puisque j'ai fait cela pour toi, tu ne devrais pas hésiter à faire la même chose ! »
- Ne pas vouloir entendre que les émotions sont des langages avec lesquels l'autre tente d'exprimer soit des ressentiments liés à des non-dits, soit le retentissement qui l'habite quand, dans un échange même non conflictuel au présent, un mot, un geste ou une intention le renvoie à son passé.
- Ne pas accepter qu'une vie de couple suppose la cohabitation de deux intimités : une intimité commune et partagée avec une intimité personnelle et réservée.
- Refuser de comprendre que nous n'avons pas de pouvoir sur nos sentiments ni sur ceux de l'autre.
- Ne pas avoir l'humilité de reconnaître que nul ne sait à l'avance la durée de vie d'un amour ! Et oublier qu'un amour vivant se vit au présent !

C'est pour cela qu'il convient de vivre l'amour dans l'ici et maintenant de chaque instant, de le nourrir, de le protéger, pour lui permettre de s'inscrire dans la durée, et cela, en se proposant mutuellement des relations de qualité dans lesquelles peuvent circuler plus de messages positifs que de messages toxiques, des relations dans lesquelles les quatre ancrages d'une relation vivante sont présents : oser demander (sans exiger), oser donner (sans endetter l'autre), oser recevoir (sans se transformer en poubelle) et oser refuser (être capable de dire « non », en précisant que ce n'est pas à la personne que nous disons « non » mais à sa demande).

Sachons aussi que l'amour est intemporel, qu'il peut surgir à tout âge. Il peut se manifester avec une fraîcheur, une joyeuseté, une dynamique et une ampleur chaque fois nouvelles qui correspondent à l'homme ou à la femme que nous sommes devenus.

Il est de l'ordre du miraculeux quand il se vit dans la réciprocité, aussi n'hésitons pas à l'honorer, à le protéger et à l'agrandir lorsqu'il est présent en nous.

N'hésitons jamais à rester à l'écoute de l'amour

Restons à l'écoute de l'amour quand il traverse notre vie. Soyons attentifs aux mouvements et aux variations de ce sentiment aux multiples visages quand il est en nous. Apprenons à respecter sa présence même quand nous anticipons qu'il peut nous décevoir, même si nous savons qu'il ne sera pas durable ou sentons qu'il va nous faire souffrir. Car l'amour n'est jamais directement nocif ou blessant à l'égard de celui qui en est porteur.

Ce n'est pas l'amour qui fait mal, ce sont les intentions, les paroles, les gestes, les attitudes avec lesquels nous tentons de contrôler une relation amoureuse dans laquelle nous sommes engagés. C'est l'ensemble des comportements que nous proposons (ou que nous recevons) qui vont se révéler maladroits (souvent), immatures (fréquemment) ou ambivalents (parfois).

Des difficultés, des malentendus surgissent, naissent et se développent quand il y a, entre l'aimant et l'aimé, une foultitude d'échanges maladroits ou blessants issus de situations inachevées dans leurs histoires personnelles, ou, pire encore, trop de non-dits, trop d'attentes impossibles à satisfaire ou de désirs impérialistes ou terroristes qui vont se déposer sur l'autre.

C'est trop souvent notre propre habileté à saboter des échanges importants, à maltraiter des partages, à détruire le miracle de ce qui aurait pu surgir et se maintenir vivant dans une relation qui peut maltraiter l'amour au point de le décourager, de le blesser, et parfois de le rendre invivable.

Tous ceux qui ont éprouvé de l'amour, vécu ce bouleversement, ont bien senti que c'est un sentiment porteur de toutes les espérances comme de toutes les déceptions, qu'il peut être à l'origine d'une énergie nouvelle, d'un mouvement qui peut naître d'un seul coup ou graduellement en direction de l'autre, et entraîner vers l'émerveillement ou le désespoir. Avec parfois ce ressenti bouleversant et rare de découvrir chez l'autre un sentiment d'amour en réciprocité qui, dans l'instant et pour toujours, du moins l'espérons-nous, amplifiera et magnifiera le nôtre. Chaque fois qu'une vibration subtile ou forte provenant d'un autre vient à la rencontre de nos émois, tous nos sens se réveillent, nos émotions frémissent, stimulent nos élans, et la fête des corps s'enflamme en chacun.

Si nous avons la maturité suffisante pour savoir accueillir, nous remplir et nous laisser porter par l'énergie de notre propre sentiment, si nous avons la capacité de laisser grandir en nous le meilleur de tout ce que nous sommes et de l'offrir à l'autre, alors nous pourrons affronter l'une des trois situations potentiellement présentes dans toute rencontre intime :

- L'autre a des sentiments à notre égard et sait le reconnaître. S'il peut aussi accueillir, amplifier notre amour et si un accord se fait, alors naîtra une dimension de l'amour magique, sacrée, divine qui irriguera la rencontre et ensemencera la relation. Vivre l'amour en réciprocité est l'espérance au cœur de tout aimant ;
- L'autre ne partage pas les mêmes sentiments mais, comme il sait reconnaître, respecter et honorer les nôtres, nous pouvons simplement lui donner une place en nous. Nous avons alors le choix de respecter nos propres sentiments, de les garder comme des trésors précieux ou de les lui offrir quand même sans attendre en retour une réciprocité. Cette alternative peut paraître frustrante et difficile à vivre, mais cependant être le choix de tous ceux qui savent aimer en faisant don de leur personne entière ;
- L'autre n'a pas les mêmes sentiments, mais il peut aimer être aimé et se complaire dans une relation asymétrique dans laquelle il se contente de recevoir, de « consommer » l'amour

qui lui est offert sans rien donner en retour que sa seule présence. Il peut aussi laisser croire qu'il s'engage dans la relation, s'enferrer dans des mensonges, s'enfermer dans des explications, se perdre dans des justifications qui vont à la longue stériliser la relation et blesser à mort l'amour de celui qui l'aime. Le choix de cette dernière alternative, que j'appelle un amour doublement asymétrique, débouche souvent sur beaucoup de frustrations et de souffrances.

Chaque fois que nous allons aimer, que nous allons entrer en amour, nous allons redécouvrir, sans jamais la croire totalement, cette vérité douloureuse: peu d'hommes et de femmes sont, au début d'une relation intime, à la hauteur de l'amour qu'ils portent en eux ou qu'ils vont recevoir. Il leur faudra cheminer longtemps, errer parfois au risque de s'égarer avant de pouvoir enfin s'accorder. S'accorder au sens musical du terme, c'est-à-dire vibrer, résonner ensemble, être en harmonie, et ce, dans la durée!

Mais cela ne doit ni nous désespérer, ni nous interdire ou nous empêcher d'aimer et de tenter l'aventure merveilleuse d'aller, au-delà d'une rencontre amoureuse, vers une relation d'amour dans laquelle le «donner» et le «recevoir» s'exprimeront au quotidien pour construire un partage.

Oser vivre en amour

Toute rencontre amoureuse est une sorte d'ascèse et une initiation à la vie. Il ne faut pas confondre le fait de vivre un amour, qui est relativement restrictif, et celui de vivre en amour, qui est une ouverture, une expansion de soi.

Le modèle de l'amour qui semble le plus profondément inscrit en chacun est celui de l'amour parental que, comme parents, nous avons offert à nos enfants ou que, comme enfant, nous avons reçu de nos parents. Mais peut-être avons-nous oublié que l'amour parental est construit autour d'une double dynamique contradictoire fondée sur le besoin de protéger et d'accepter inconditionnellement notre enfant, et la nécessité d'une mise à distance progressive, pour lui permettre de nous quitter sans culpabilité et avec suffisamment d'autonomie pour construire sa propre existence. Au fond, l'amour parental est le seul amour donné pour permettre à celui ou à celle qu'on aime de nous quitter ! Un amour offert sans contrepartie pour lui permettre de s'éloigner, de prendre le large et de pouvoir ainsi avoir la liberté de s'engager amoureusement ailleurs, de créer son propre devenir en trouvant la bonne distance avec ses parents.

La qualité de l'amour ainsi reçu se mesurera (si tant est que cela soit possible), chez celui qui en a été le dépositaire, par sa capacité de n'éprouver ni gêne, ni culpabilité et à s'investir dans d'autres amours qui n'entreront pas en concurrence (ce qui n'est pas toujours le cas) avec ce qu'il serait possible d'appeler l'« amour primaire » ou « premier », avec sa mère ou son père. Chez le parent qui a offert cet amour, la qualité de l'amour se mesure à sa capacité de confirmer, quel que soit l'éloignement, quelles que soient les péripéties à venir de la vie, que cet amour donné restera, envers l'enfant devenu adulte, intouchable et irréversible.

Dans certaines familles, ce modèle peut être transgressé ou dévoyé par des mises en dépendance affective, matérielle ou physique. Mises en dépendance qui, même si elles sont proposées, voire imposées de façon inconsciente, n'en sont pas moins tenaces et profondes. Elles peuvent se traduire par une fidélité et une loyauté invisibles mais réelles à l'égard de l'un ou l'autre des parents, par des missions que l'on va s'attribuer (ou attribuer à l'autre) avec des enjeux complexes, et qui vont influencer et conditionner les amours à venir et parfois les empêcher d'exister de façon autonome.

Le sentiment amoureux sera donc influencé par notre passé et obéira à des tentations diverses, par exemple celle de vouloir garder attachée la personne aimée, de désirer construire avec elle une relation de proximité, d'intimité dans la durée et la continuité sur une base d'exclusivité et d'unicité : « Pour moi tu seras la seule, je serai pour toi le seul ! » Ainsi peuvent se développer, dès les débuts d'une relation, des accords très forts ou des malentendus liés à des attentes, chez l'un ou l'autre, qui sont le plus souvent implicites, qui ne sont pas exprimées clairement, qui peuvent parfois être convergentes, mais parfois aussi se révéler divergentes et mener à des tensions, des conflits, des réajustements relationnels possibles, acceptables ou douloureux, bénéfiques ou insoutenables, selon la capacité de chacun des protagonistes de se remettre en question.

« Le jour où j'ai accepté que l'amour que je lui portais ne me donnait aucun droit sur sa personne, j'ai grandi, dit Martin, mais je me suis aussi rapproché d'un noyau ou d'un gouffre de solitude qui, à certains moments, me désespérait. »

« Dans les trois premières années de notre relation, j'étais, sans réellement le savoir, dans une totale dépendance, liée aux mouvements imprévisibles de son cœur, de ses désirs versatiles, des émois de son corps qui soufflaient le chaud et le froid sans que je comprenne ce qui pouvait déclencher son refus ou son acceptation de mes désirs, dit Francine. Je me comportais à partir d'une seule référence, d'un positionnement relationnel que je croyais évident : le désir que mes désirs soient acceptés et comblés, puisque nous nous aimions. J'avais énormément de difficulté à comprendre que les sentiments et les relations se vivent parfois sur des registres qui sont aux antipodes l'un de l'autre. Je voulais me persuader que la force et la sincérité de mes sentiments étaient suffisantes pour nous permettre de dépasser nos difficultés et nos antagonismes. Je ne savais pas que j'aurais un long travail personnel à entreprendre pour que nous puissions rester ensemble sans nous détruire. »

« Je vivais dans le mythe de la réciprocité, dit Olivier. Comme je donnais sans aucune réserve, que je faisais beaucoup pour elle, que j'acceptais tout de sa part, j'attendais en retour qu'elle puisse faire pour moi au moins l'équivalent de ce que je faisais pour elle, qu'elle accepte de moi ce que j'acceptais d'elle sans aucune réserve ou doute… Je sais aujourd'hui à quel point de telles attentes sont des leurres dévastateurs, des pièges à répétition. J'ai découvert avec étonnement et incrédulité ma propre ambivalence. Une ambivalence qui était porteuse, malgré moi, d'exigences, d'angoisses, de ressentiments inavouables et aussi de culpabilisations, que je déposais sur elle sans m'en rendre compte. »

« Qui aurait pu m'apprendre que mon amour, aussi merveilleux qu'il puisse être, ne me donnait aucun pouvoir ni sur ses sentiments, ni sur son comportement ou sa conduite ? dit Josiane. J'aurais voulu l'influencer, je me sentais en dette, sans pourtant savoir ce que je lui devais ! »

Cette impression désagréable de se sentir en dette, plusieurs autres femmes et quelques hommes m'en ont parlé. Comme si le fait d'avoir reçu de l'amour, d'être sécurisé par la présence de l'autre les rendait redevables à l'égard du partenaire qui avait accepté de partager sa vie avec eux. Je peux imaginer le travail personnel à entreprendre pour se libérer de ces ressentis parasitaires !

« J'ai découvert qu'il m'appartenait de vivre la relation amoureuse comme une succession de rencontres à inventer chaque fois, et même chaque instant, et non comme une rencontre définitive, installée et assurée dans le temps et l'espace – ce qui avait constitué la base de mon premier couple, dit Alex. Bien évidemment, il n'est pas confortable, dans un premier temps, de l'accepter, mais quelque chose s'est construit, s'est mis en place, d'abord en moi, puis entre moi et mon nouvel amour : un liant, un ciment fait de lâcher prise, de confiance et d'abandon.

« Ce fut dur, très dur même, et à ce jour je suis encore étonné que nous soyons toujours ensemble. Mon vécu amoureux avec elle a pu s'inscrire dans l'intensité et la profondeur, a pu se nourrir et se développer dans les rares moments où nous avons pu nous rencontrer, chacun entièrement tourné l'un vers l'autre. Dans ces instants fugaces où il nous a été offert non pas de rêver et d'anticiper les partages, mais de les vivre à temps plein, au plein du temps passé à être ensemble, moi en elle, elle en moi, acceptant nos différences sans vouloir les combler ou les annuler. C'est avec elle que j'ai le plus grandi, que je suis devenu un homme sensible. »

Ainsi peuvent naître et s'inscrire en nous des balises et des points forts nés de nos apprentissages pour protéger l'amour des maltraitances possibles d'une relation trop aveugle et nous permettre, par exemple, de mieux comprendre que ce que l'autre fait, vit ou éprouve en dehors de notre relation ne nous appartient pas, que ce qui compte, ce sur quoi nous devons nous appuyer, c'est ce qui va se vivre directement entre nous, ce qui contribue à alimenter et à vivifier notre relation. Ce que fait, vit ou éprouve l'autre en dehors de notre relation ne nous enlève rien s'il reste entier et présent dans notre relation, si ce que nous vivons, ce que nous faisons, ce que nous éprouvons sans l'autre reste habité par sa présence et que l'essentiel de notre personne est tourné vers lui, que la tentation du contrôle à travers un questionnement subtil ou intrusif n'a pas sa place dans nos échanges.

Une relation amoureuse de qualité se structure autour d'une double intimité : une intimité commune partagée et amplifiée, et une intimité personnelle et réservée respectée par chacun. La part de chacun qui est présente dans un partage intime reste au cœur de nos échanges. L'amour devient ainsi une ascèse, une initiation à vivre chaque rencontre comme une aventure passionnante qui tisse des engagements sans cesse renouvelés.

Vivre l'amour au présent

C'est un mot obscur (parce que d'une profondeur abyssale) que celui d'amour. Il résonne dans nos cœurs comme le nom d'un pays lointain dont, depuis l'enfance, on a entendu vanter les cieux et les marbres. Il dit ce qu'il délivre, il dit ce qui tourmente. Il est enroulé sur lui-même, luisant et creux, comme ces coquillages que l'on porte à l'oreille pour y entendre l'infini.

Christian Bobin

Parler sur l'amour m'a toujours semblé plus facile que de parler de l'amour. C'est quand même ce à quoi je me suis employé très tôt, dans un premier temps, ne sachant trouver les mots pour m'adresser directement à celle qui habitait, à cette époque, l'essentiel de mon cœur et la totalité de mon esprit.

Parler de mon amour, je ne savais pas. J'ai mis longtemps à oser, mais avec l'âge et ce qu'il serait possible d'appeler la maturité, si elle existe, j'ai pris le risque de faire quelques incursions dans ce domaine. J'ai ainsi pu en témoigner, au travers de plusieurs recueils de poèmes, pour tenter d'arracher à l'oubli vorace mes enthousiasmes, mes errances, mes émois chaotiques. J'ai essayé de m'ouvrir aux amours en devenir, de garder la trace des amours perdus, d'être vigilant et ardent dans mes amours présents pour découvrir, il y a quelques années, qu'en amour l'avenir vient de loin. Il vient du plus lointain de notre histoire, de sources multiples qui vont irriguer notre liberté ou notre impuissance à aimer. C'est par des chemins labyrinthiques que se creusent nos errances et nos maladresses, par des élans et des envols sublimes que se dépose, au plus loin de notre espérance, le plaisir d'être en amour.

Parler de l'amour, c'est se trouver confronté à la difficulté solidement ancrée de faire cohabiter des mythologies, c'est-à-dire un mélange de croyances et d'idéologies intimes très personnelles, parfois contradictoires, qui naviguent en chacun de nous, et leur impact étonnant, et surtout détonnant, présent dans toute rencontre amoureuse.

Nous entrons en amour avec des certitudes qui se révèlent vite erronées ou déplacées et des attentes qui vont vaciller ou se « déliter » quand elles sont confrontées avec la réalité d'un amour incarné par une personne vivante qui est là, présente dans différentes dimensions, en nous et hors de nous.

Nous allons l'un et l'autre nous trouver confrontés à deux histoires de vie, histoires qui irriguent encore, quel que soit notre âge, certains de nos comportements et conduites et nous font dire ou faire des choses qui n'ont rien à voir avec l'ici et maintenant d'un échange ou d'une situation concrets. Telles celles vécues par deux adultes responsables dans leur cuisine ou leur salle à manger juste après un repas chaleureux, ou dans la voiture qui les conduisait, joyeux, vers le midi des vacances, ou dans leur lit conjugal dans l'anticipation (qui ce soir-là ne se réalisera pas) de la fête des corps et des sens, et qui se retrouveront soudain confrontés à des échanges puérils qui seraient risibles s'ils ne faisaient pas tant souffrir !

Il nous faudra aussi apprendre à résister à l'usure du quotidien, à réparer sans cesse les heurts et les tensions du passé immédiat pour préserver un peu du présent.

Comment dire à l'autre : « Donne-moi un peu de temps pour que je puisse être encore un peu maladroit, et même sourd ou aveugle, et peut-être injuste » ? Comment l'inviter à prendre un peu de recul face à nos improvisations pour démêler nos nouvelles incertitudes d'avec nos vieilles certitudes, pour nous ajuster encore un peu à tant d'imprévisibles, pour nous habituer aux multiples visages que nous découvrons en l'autre ? Comment nous apprendre mutuellement à nous écouter, à ne pas réagir impulsivement à ce que dit l'autre, à ne pas lui couper la parole ou anticiper trop vite ce qu'il pourrait dire ? Comment avoir cette vigilance bienveillante pour accepter simplement d'entendre son ressenti, son imaginaire, ses idées et ne pas ressortir épuisés, insatisfaits ou amers de plusieurs pseudo-échanges ?

Dans une relation de couple, les sentiments, aussi profonds et intenses soient-ils, ne sont pas suffisants pour assurer la survie de l'amour. Encore faudra-t-il, au-delà de l'intention, de l'inspiration et de la créativité, avoir la capacité, l'un et l'autre, de se donner les moyens de construire une relation dans la durée. Une relation qui puisse résister aux décalages entre nos attentes et les apports de l'autre, entre nos apports et ses attentes, sans trop stimuler, de part et d'autre, certaines zones de vulnérabilité ou d'intolérance.

Au risque d'irriter, de bousculer des rêves, de déloger des certitudes, de blesser des croyances ou même d'inquiéter des engagements en cours, je vais tenter de mieux cerner ce qui est constitutif de ce que j'appelle « l'amour incarné », celui qui se vit au quotidien dans un espace d'intimité et de durée.

Je vais tenter d'oser mettre des mots pour mieux cerner l'amour inscrit dans la chair de deux êtres. Un amour qui n'est pas, comme on peut le croire, un sentiment flamboyant unique qui serait commun à deux êtres portés par les mêmes feux du désir, les mêmes espérances à vivre un plaisir partagé et un bonheur assuré, mais plutôt la rencontre de deux sentiments. Un amour chez l'un et un amour chez l'autre, un sentiment éprouvé par chacun vers l'autre.

Évoquer, mieux comprendre ce que peut être ce noyau, ce creuset ou ce brasier, ce vivier ou ce jardin constitué par l'accord (la résonance et l'harmonie) ou par le choc (la dissonance et la dysharmonie) de deux sentiments qui viennent de deux mondes différents, qui vont se mêler pour construire une histoire de vie.

Sain d'esprit et de corps en vue d'une relation amoureuse !

Au tout début d'une rencontre amoureuse, avant même qu'elle ne devienne une relation, il est peu vraisemblable que l'un ou l'autre des protagonistes se demande si son partenaire est sain d'esprit. Chacun peut aussi avoir le sentiment intime d'être en bonne santé mentale mais découvrir que cette nouvelle rencontre l'inhibe, ou au contraire démolit ses défenses, exacerbe certains aspects de sa personnalité, l'expose, le déstabilise et le projette parfois dans beaucoup de troubles et d'inconforts spirituels et corporels. Mais une certaine folie, un peu d'excessivité, voire de paradoxes et de mystères dans les conduites et les comportements peuvent parfois ajouter à l'attirance, stimuler les découvertes et quelquefois permettre d'oser plus... Les débuts d'une attirance, d'une passion, s'ils sont porteurs de beaucoup d'émois et de tempêtes intérieures, s'ils irriguent des échanges et provoquent des changements, invitent aussi à des dépassements et à des remises en cause importants.

Ce qu'il faut savoir, cependant, c'est que la période qui précède et qui suit un engagement amoureux sera fertile en interrogations qui peuvent déstabiliser un équilibre antérieur plus ou moins péniblement acquis.

Tout d'abord, sur le plan de l'imaginaire et des croyances antérieures, nous n'arrivons pas affectivement, émotionnellement et relationellement « vierges » dans une rencontre amoureuse. Nous avons une histoire, des engagements en cours, plus ou moins forts, des fidélités à des personnes significatives de notre vie passée et toute une constellation de croyances sur l'amour, les femmes, les hommes. Nous avons tout un arrière-plan d'expériences. Nous pouvons entre autres avoir reçu des injonctions, des messages ambigus - « Méfie-toi des hommes, ils ne pensent qu'à ça ! » ou encore « Fais attention, les femmes trop faciles ne sont jamais fidèles... » - qui vont nous limiter, nous freiner ou, au contraire, nous inviter à des transgressions, à la vérification du bien-fondé ou au dépassement du message reçu.

Toute rencontre amoureuse est une tentative de rapprochement (ou de collision) de deux univers, de deux histoires de vie, de deux systèmes culturels, et parfois, il faut le dire aussi, de deux pathologies qui peuvent se combattre ou se compléter.

Dans les mythologies personnelles de plusieurs personnes (j'appelle mythologie personnelle un ensemble de croyances fondées sur des certitudes acquises dans l'enfance), la rencontre amoureuse devrait se faire autour d'un rapprochement des zones de confiance. Elle doit être un accord, un espoir d'harmonie, une aspiration à la réconciliation, une disparition quasi surnaturelle des difficultés vécues jusqu'alors.

On se voit le plus souvent dans un « nous » quelquefois trop fusionnel. Avec la disparition provisoire des différences, le nivellement des aspérités, la négation des points de tension, on minimise la gêne et les zones d'ombre ou de conflit. Sans toujours saisir ou reconnaître que, justement, le propre des sentiments amoureux, quand ils sont partagés, c'est qu'ils font ressurgir de nombreux aspects de nous qui sont en souffrance ou en difficulté, qu'ils réactivent des situations inachevées. L'intimité, la confiance, l'abandon qui caractérisent l'éveil à l'amour nous ouvrent mais font remonter à la surface une partie de notre histoire intime qui va se heurter à celle de l'autre si elle n'est pas accueillie avec suffisamment de tendresse ou d'ouverture pour faire l'objet d'un partage, d'une écoute bienveillante et cicatrisante.

Pour ce qui est de la santé physique, elle est aujourd'hui chargée de beaucoup d'interrogations et de non-dits. Car comment savoir, être intimement persuadés ou certains que le partenaire avec qui on peut envisager de faire l'amour n'est pas contaminé par un virus ou une infection qu'il pourrait nous transmettre ? L'arrivée du sida a développé une inquiétude sournoise, a inscrit dans le corps de chacun des doutes et des peurs. Les précautions à prendre ne sont plus celles d'autrefois pour ne pas tomber enceinte, c'est-à-dire donner la vie, mais plutôt pour ne pas perdre la vie.

Les jeunes filles et les jeunes hommes d'aujourd'hui ont, semble-t-il, une liberté plus grande pour aborder ces questions, des gestes quasi automatiques, un consensus qui se passe de mots pour s'assurer une protection mutuelle. Avec quand même, à l'arrière-plan, tout au fond de la conscience, des questions inexprimables jusqu'au moment où la relation leur paraît, à l'un et à l'autre, confirmée, stabilisée, inscrite dans un devenir commun. Avec l'éclosion, chez chacun, d'une confiance (ou d'un aveuglement) pour confier sans réticence ou réserve sa vie à l'autre, à ce qu'il nous dit de son engagement envers nous !

À propos de la rencontre amoureuse

On me demande parfois: «Qu'est-ce qui fait qu'on est attiré par une personne plutôt que par une autre? Est-ce le physique, un trait particulier du visage, du corps? Y a-t-il une chimie secrète qui entre en jeu? Serait-ce une histoire d'hormones? Ou une compatibilité heureuse des humeurs? Une reconnaissance spontanée mutuelle?»

Je crois que c'est la combinaison de quelques-uns de ces facteurs qui crée une alchimie particulière qui fait que deux êtres parfois aux antipodes l'un de l'autre vont se rejoindre, fusionner avec le désir de ne plus se déprendre. L'attirance physique peut avoir un impact important (elle n'est pas toujours liée à la beauté physique, mais plutôt à un détail qui va être l'élément déclencheur d'un mouvement vers l'autre). Les phéromones doivent certainement jouer un rôle dans l'attraction de deux corps. Il peut aussi y avoir la croyance ou l'intuition que l'un trouvera chez l'autre une acceptation inconditionnelle et totale de sa personne. L'identification inconsciente à des images de personnes bienveillantes (des images anciennes qui remontent à la surface) peut aussi expliquer un mouvement ou un élan vers une personne plutôt qu'une autre.

C'est ainsi que nous pouvons essayer de comprendre l'enchantement qui traverse à certains moments la rencontre amoureuse. Il y a effectivement quelque chose de l'ordre du magique dans une rencontre amoureuse, quelque chose qui échappe à toute tentative d'explication. Des ingrédients quasi surnaturels qui provoquent des bouleversements émotionnels, relationnels, physiques ou culturels. Toute rencontre amoureuse est probablement d'ordre vibratoire, les vibrations subtiles circulant de l'un vers l'autre sont reçues, amplifiées et produisent un accord entre deux personnes qui va les rapprocher, les relier et surtout les lier. L'image la plus simple pour parler de ce phénomène est musicale : *deux notes qui s'accordent et qui vont évoquer une symphonie de Mozart !*

Ensuite, la poursuite ou non de l'histoire va dépendre non pas uniquement des sentiments (comme on le croit trop souvent), mais aussi de la qualité des relations qui vont nourrir et embellir cet amour ou le dévitaliser, le magnifier ou le stériliser.

On peut aussi se demander : qu'est-ce qui fait que parfois cela ne fonctionne pas dès le départ, que l'un est attiré mais pas l'autre ? En effet, il arrive que l'émission des signaux dont j'ai parlé plus haut soit asymétrique. Plusieurs combinaisons sont alors possibles. L'un émet mais l'autre ne reçoit pas parce qu'il est fermé, qu'il n'est pas sur la même longueur d'onde vibratoire, qu'il est déjà tourné vers quelqu'un d'autre ou bien qu'il n'est pas encore délié d'un précédent amour qui, même interrompu, reste présent en lui.

Et puis il peut aussi arriver que les *deux notes de musique* ne s'accordent pas, que cela fasse un « couac » ! Je n'ai jamais vu un couac se transformer en symphonie de Mozart !

C'est notre rêve et notre espérance à tous de pouvoir vivre des sentiments en réciprocité, de ne pas être piégés dans ce que j'ai décrit plus haut comme des pseudo-amours : amour de manque (on réclame à l'autre ce qu'on n'a pas eu dans l'enfance), amour de peur (on exige de l'autre qu'il nous rassure sans arrêt que nous sommes *la* personne qu'il aime), amour de consommation (on aime non pas la personne, mais l'amour qu'elle a pour nous !), amour de besoin (on ne donne rien, on prend).

Il arrive aussi parfois que l'on « tombe » soudain amoureux d'un ami ou d'une connaissance que l'on côtoie depuis longtemps sans avoir jusqu'alors envisagé d'avoir une relation intime ou amoureuse avec cette personne. Dans l'amitié, le désir sexuel est absent, ou tout au moins peu éveillé. C'est la révélation de cette dimension qui va transformer la relation. Cela dit, le désir ne se commande pas. Il peut être présent dans une relation amicale ou professionnelle, être censuré ou occulté durant des années, puis soudain se révéler quand les défenses lâchent prise. Certains s'interrogent sur la nature de ce qu'on appelle le « coup de foudre », qui serait la manifestation soudaine d'une attirance mutuelle qui fait fondre toutes les inhibitions et les réserves, qui rend caduques tous les engagements antérieurs, dévaste et réduit à néant les sentiments qui paraissaient les plus solides. Il faut toujours se rappeler (quand même) que, dans le coup de foudre, il y a souvent plus de coups que de foudre (comme le soulignait en riant ma grand-mère !).

Ainsi, chacun peut grandir, se réaliser, se débattre, se réconcilier avec lui-même ou se noyer à partir d'un amour éprouvé, d'un amour reçu, d'un amour partagé, et ce, sans qu'aucunes prémices, aucun signe ne l'avertisse de ce qui l'attend !

Les gestes de l'intimité

Au cœur d'une rencontre intime, il est des gestes sublimes inventés dans l'instant, des gestes splendides offerts et reçus dans l'abandon et la confiance, des gestes d'une qualité rare qui semblent soudain emplir tout l'espace d'un échange, donner une beauté éblouissante à chacun des partenaires, une lumière particulière à leur accord, une profondeur unique à la durée de l'éphémère.

Les gestes de l'intimité révèlent l'équivalent d'une aura. Ils créent, par leur seule intensité, une bulle particulière qui enveloppe ceux qui osent se proposer l'élan d'une offrande généreuse sans conditions ni retenues et l'accueil émerveillé d'une ouverture sans limites.

J'ai vu un jour, dans un café, une femme et un homme installés à une table. Je ne les voyais pas directement, mais seulement reflétés par l'immense miroir qui me faisait face. Elle posait sa main contre sa joue, ses doigts jouant avec l'oreille proche, mais c'est la douceur de son regard, son « attentivité » si dense, sa présence absolue qui donnaient à toute la scène une intensité rare, profonde. J'étais jaloux de cette bulle d'intimité qu'ils avaient créée et dans laquelle ils se donnaient totalement l'un à l'autre, protégés par l'intangibilité d'une confiance inouïe qu'ils s'offraient ainsi, ignorant ceux qui les entouraient, totalement coupés du reste du monde.

Quand les gestes de l'intimité peuvent s'offrir et se recevoir à l'intérieur d'une liberté d'être que ne censure aucune autorépression, aucune autoprivation, ils deviennent aussi un cadeau à la vie. Ils sont porteurs d'une force apaisée qui amplifie, embellit et dynamise la rencontre. Les gestes de l'intimité font grandir à la fois celui qui reçoit et celui qui donne. En se partageant, ils permettent une expansion des possibles de chacun. Ils sont porteurs d'inventivité et de créativité. Les gestes de l'intimité se sentent bien dans l'improvisation. Ils deviennent une création permanente, car ils ne se laissent pas enfermer dans l'anticipation ou les regrets du passé. Ils occupent la totalité de l'instant.

« "Offre-moi un geste que tu n'as jamais fait de ta vie", m'a-t-elle dit soudain, raconte Jean. J'ai pris sa tête dans mes mains avec des gestes lents, attentifs, comme si j'osais toucher à quelque chose de sacré. Je balbutiais les mots d'une prière inconnue, dont je sentais la ferveur dans une vibration qui palpitait dans tout mon corps... Puis elle m'a chuchoté : "Invente mon corps et laisse-moi créer le tien, nous avons tout l'espace d'une nuit pour commencer et l'horizon de tous les matins à venir pour continuer." »

Dans les gestes de l'intimité circule une émotion sensible diffusée par tous les sens éveillés. Une émotion qui nourrira la sève ardente des temps d'absence. Une qualité d'être qui préparera à la fête de retrouvailles.

«Je n'avais jamais été accueillie dans les bras d'un homme comme je le fus avec lui, dit Johanne. Il m'emporta si loin de moi que plus rien n'exista durant plusieurs minutes. Quand je revins sur terre, il me souriait et j'avais le sentiment de le connaître depuis toujours et pour toujours. Nous sommes ensemble depuis quarante ans, je ne l'ai pas quitté plus d'une journée durant toutes ces années. J'ai découvert avec lui le goût du désir. Il sait de moi plus que je n'en sais moi-même... »

« Elle savait inventer chaque instant de nos rencontres et les transformer en une fête improvisée, dit Pierre. Avec elle tout me paraissait plus léger, plus joyeux, comme libéré de toute contrainte. Je me sentais libre et en même temps très attaché. Un attachement volontaire, choisi, qui correspondait certainement à une de mes attentes profondes. J'étais si intensément vivant auprès d'elle que j'avais le sentiment d'appartenir à une espèce d'hommes différente, rare. Notre intimité était rieuse, en sa présence je me vivais comme bon, généreux, capable d'oser. Et durant des années j'ai osé, je surprenais mon entourage par ma vitalité. Je savais que beaucoup disaient de moi : "Il est amoureux et il se sait aimé." Oui, c'est cela, dix ans après j'étais amoureux comme aux premiers jours et je me sentais aimé, protégé et toujours accompagné par les gestes de sa tendresse. »

Les gestes de l'intimité donnés et accueillis en public sont protégés par le respect de ceux qui en sont exclus mais qui en reçoivent l'éclat, et qui vont en garder la trace invisible présente en eux.

Amour ne rime pas toujours avec toujours !

Nous avons, en matière d'amour, des croyances qui se voudraient des certitudes. En particulier celles concernant la durée ou la fiabilité d'un amour. Nous voudrions surtout être rassurés sur la durée et la fiabilité de l'amour de l'autre, sans toujours penser que le nôtre est aussi incertain. Car nul ne sait à l'avance la durée de vie d'un amour.

Nous souhaitons que l'amour que nous partageons à un moment donné soit le bon, celui qui résistera aux chocs de l'existence, à l'imprévisibilité de la vie, aux risques de l'usure ou de la routine.

Quand une de mes filles, amoureuse depuis peu, m'a affirmé avec l'aplomb inébranlable qu'ont parfois les adolescents : « Papa, tu as dû l'oublier, tu es trop vieux, quand on aime c'est pour la vie ! », je n'ai pas osé lui dire ce que j'avais découvert depuis longtemps : que nul ne sait à l'avance la durée de vie d'un amour. C'est pourquoi une nouvelle relation amoureuse est toujours une aventure à risques ! Je ne savais comment lui annoncer que les amours sont malheureusement périssables, comme tout ce qui est vivant sur cette planète, qu'ils ont une durée de vie aléatoire et que parfois même, quand nous les maltraitons avec beaucoup de ténacité et d'inconscience, ils peuvent s'éteindre, cesser de briller ou de brûler, tel un feu qui n'est plus alimenté. Durant des années, au travers d'échanges tumultueux et passionnés, j'ai simplement tenté de faire comprendre à mes enfants que le sentiment amoureux peut être comparé à une source d'eau pure qui parfois se transforme en torrent impétueux et d'autres fois en rivière paisible ou en lac splendide, mais qu'il peut aussi devenir un étang stagnant ou se perdre dans un gouffre sans fond, dans l'attente, comme certaines rivières souterraines, de ressurgir à un moment ou l'autre de notre existence. Je voulais les prévenir que certains amours pouvaient s'égarer à jamais dans quelques-uns des labyrinthes de l'oubli ou réapparaître, par je ne sais quel mystère, quelques années plus tard, transformés en cascades fraîches et inépuisables, revivifiés par une nouvelle rencontre, ou muter, se transformer en un soleil éblouissant se répandant sans réserve sur une relation amoureuse totalement folle. Mes filles se récriaient, niaient, m'accusaient encore d'être trop cynique, d'avoir oublié ce qu'était l'amour, qui pour elles rimait avec toujours. Elles insistaient, s'accrochaient à ce mythe qui était pour elles une vérité essentielle et certainement une protection contre leurs propres doutes, et n'hésitaient pas à affirmer : « Moi, quand j'aime, c'est pour toujours ! »

Aujourd'hui, chacun de mes enfants, comme moi-même, après avoir traversé quelques tempêtes amoureuses, a compris que l'amour est souvent fragile, parfois versatile et toujours imprévisible. Ils savent que ce mouvement inouï qui nous porte vers l'autre, cette énergie qui nous anime vers une personne que nous avons identifiée comme unique nous confronte aussi à toute notre histoire, que notre passé et les blessures cachées liées à ce passé restent présents dans les fondations de toute nouvelle relation amoureuse. Ils découvrent que la proximité présente dans une relation intime réveille ou restimule, dans l'enfant qui est en eux, des blessures anciennes qui, paradoxalement, peuvent être mises au jour dans le quotidien d'une vie de couple, par celui ou celle qu'ils aiment.

Ils ont appris à ne plus confondre l'amour et les pseudo-amours qui peuvent leur être proposés. Je perçois que l'écoute de leur cœur s'est affinée, qu'il leur est possible de mieux entendre, quand on leur dit : « Je t'aime », que ce « je t'aime » est parfois une demande (voire une exigence déguisée) qui peut se traduire par : « Aime-moi, aime-moi ! » Je sais qu'ils comprennent que certaines déclarations vibrantes de « je t'aime » passionnés expriment une angoisse qui traduit la peur d'être quitté et que ces « je t'aime »-là sont des cris pour tenter de recouvrir d'autres cris muets : « Surtout, ne me quitte pas ! » ou : « Confirme-moi que tu m'aimeras toujours ! » Ils ont découvert qu'il y a aussi ce que j'appelle des amours de manque, qui disent plus ou moins directement : « Donne-moi l'amour que mon père ou ma mère ne m'a jamais donné ! » ou : « Aime-moi comme celle (ou celui) qui m'a quitté aurait dû m'aimer ! »

Je ne sais pas s'ils savent pour autant - pas plus que moi d'ailleurs - mieux se protéger ! Car il y a dans chaque nouvel amour une part d'éblouissement qui aveugle ou qui émerveille, et qui peut rendre sourd ! Il est difficile (et d'ailleurs nous ne le souhaitons pas réellement) de se protéger à l'avance contre les vicissitudes de l'amour partagé. Nous souhaitons seulement rencontrer et vivre un amour en réciprocité où deux sentiments vont se rencontrer, se reconnaître, s'accorder et s'épanouir.

En ce qui me concerne, je peux dire aujourd'hui que, même si le sentiment amoureux recèle beaucoup de mystères, je sais que tout amour qui veut s'accomplir sera lié à la rencontre harmonieuse de deux sentiments qui s'accordent. Car si un seul aime, l'amour qu'il propose peut rester en attente, inachevé, en quelque sorte !

Tout amour a besoin d'être nourri (et non maltraité) à la fois par l'amour de l'autre et par la qualité de la relation avec l'autre. L'amour suppose une rencontre en miroir dans laquelle deux sentiments vont se reconnaître, s'apprivoiser et s'amplifier mutuellement. Ainsi, le mien, semblable à un soleil intérieur, s'élance vers ma compagne et son propre sentiment, qui peut aussi être un soleil (dans le meilleur des cas) ou un ciel infini, sans horizon, suffisamment ouvert pour accueillir mon propre sentiment !

Mais il arrive parfois, et c'est toujours douloureux de le découvrir, que les sentiments de l'un ne s'accordent pas (au sens musical du terme) avec les sentiments de l'autre. Le soleil de l'un se perd à la recherche de l'étoile ou de la planète lointaine de l'amour de l'autre. Ainsi, deux personnes qui s'aiment ne pourront pas nécessairement se rencontrer ou s'accorder, mais seulement se croiser, se frôler, et souvent se perdre à se chercher. Ces amours sont comparables à deux notes de musique qui ne peuvent vibrer ensemble, qui peuvent même se « répulser » ou se combattre. Il y a, dans ce cas de figure, quelque chose de désespérant, car chacun des protagonistes croit être sincère, désireux de partager ce qu'il a de meilleur. Lorsqu'il découvre que ce qu'il apporte ou offre ne s'accorde pas, n'est pas reçu, n'est pas magnifié par les sentiments de l'autre, il ne peut le croire, ni l'accepter. Il ressent alors un immense sentiment d'injustice, de révolte ou de désespérance.

Si l'accord des sentiments se fait, ce que je souhaite à tous ceux qui aiment et se sentent aimés, encore faudra-t-il qu'ils soient vigilants, qu'ils apprennent à nourrir la relation par une qualité de présence et d'attention, avec des partages et des échanges stimulants, en faisant circuler de façon fluide des messages positifs qui vont alimenter la « vivance », l'énergie et l'estime de soi de chacun.

Ainsi, même quand nous pressentons que toute relation amoureuse est une relation à risques, nous allons quand même, les uns et les autres, prendre le risque de tenter l'aventure, de nous engager, de nous lier et de proposer le meilleur de nous-mêmes pour aller à la rencontre du meilleur de l'autre. Ce meilleur de nous-mêmes, nous tentons de le proposer sans toujours vouloir le donner réellement, sans toujours vouloir rencontrer le meilleur de l'autre. Dans une sorte d'attentisme, nous reportons à des temps qui pourraient être meilleurs la possibilité de vivre l'amour au présent. Mais lorsque nous vivons vraiment l'amour au présent, nous donnons plus de vie à la vie de notre amour.

Il était une fois un amour

« Mais je l'aime !

– Oui vous l'aimez, du moins vous pensez que vous l'aimez !

– Je ne fais pas que le penser, je le sens, dans tout mon être, là, partout.

– Dans tout votre être...

– Vous ne me croyez pas, vous croyez que j'exagère ?

– J'entends bien que vous me dites l'aimer, mais lui, se sent-il aimé de vous ?

– Bien sûr, il m'a dit combien il était touché et ému par mes sentiments...

– Donc, il sait et il sent que vous l'aimez.

– Je l'aime comme je n'ai jamais aimé, je ne veux pas le perdre...

– Il y a, me semble-t-il, comme un appel dans votre "Je l'aime", comme si vous lui donniez un ordre secret : "Puisque je t'aime, tu ne peux pas me quitter, tu ne peux m'abandonner !"

– Il devrait comprendre que mon amour pour lui est infini, que personne au monde ne l'aimera comme je l'aime, c'est pour cela qu'il doit rester avec moi...

– Il a donc envisagé de vous quitter ?

– Oui, c'est ce qu'il dit parfois après une dispute, mais moi, je ne le crois pas. La preuve, c'est qu'il est encore avec moi !

– Il a donc du mal à vous quitter, il hésite à vous faire de la peine...

– C'est parce qu'il ne sait pas qu'il m'aime malgré lui. Depuis le début de notre relation, je vois bien qu'il a du mal à reconnaître qu'il m'aime, qu'il est attaché à moi. Il résiste, il me le dit souvent : "Je ne veux être dépendant ni de ton amour ni du mien !"

– Aimer et être attaché n'est pas la même chose. On peut être attaché par une dette, une obligation, un sentiment de culpabilité…

– C'est vrai qu'il me doit beaucoup. Sans moi, il n'aurait pas terminé ses études de médecine. Il n'aurait pas le poste qu'il a aujourd'hui…

– Il est donc attaché et peut-être retenu…

– Je vois où vous voulez en venir. Même s'il ne m'aime plus, je peux l'aimer pour deux ! J'ai assez d'amour en moi pour nous deux.

– Oui, c'est comme cela que vous l'aimez.

– On ne peut pas être plus aimé qu'il l'est.

– Et cependant il souhaite parfois vous quitter.

– Je suis sûre qu'au fond de lui il sait qu'il ferait une erreur s'il me quittait !

– Il ne devrait pas vous quitter.

– Non, jamais !

– Donc, vous pensez qu'il va rester toujours avec vous.

– J'en suis sûre… »

Ils ont mis onze ans à se quitter. Lui, avec beaucoup de culpabilité, et elle, paradoxalement, avec beaucoup de soulagement ! Parce qu'elle avait rencontré un nouvel amour !

Les doutes en amour...

Les doutes font partie de toute vie amoureuse. À l'ombre des émerveillements, au plus proche des éblouissements les plus partagés, au cœur même de l'amour en réciprocité, ils sont là, présents, discrets ou plus voyants, exprimés ou tus dans le tumulte des interrogations, dans le silence d'un étonnement, dans les courants secrets de souffrances endormies et encore muettes ou le désarroi anarchique d'incompréhensions qui se mettent au monde et s'installent avec, la plupart du temps, la collaboration des deux amoureux. Ce qui va polluer une partie des échanges à venir.

Ils se manifestent le plus souvent par un questionnement intime et silencieux... sur l'autre: «S'il m'aimait vraiment, est-ce qu'il se comporterait avec moi comme il le fait?»; «Si elle m'aime comme elle l'affirme, pourquoi me compare-t-elle sans arrêt à son premier fiancé?»; «Peut-être qu'il prétend m'aimer avec autant d'insistance pour ne pas me faire de la peine, ou parce qu'il n'est pas sûr de lui?»; «J'ai envie de la croire quand elle dit qu'elle m'aime, que je suis l'homme le plus important de sa vie, mais je ne peux m'empêcher de penser que, justement, je ne suis qu'un des hommes de sa vie!»

Les doutes, en amour, surgissent sans prévenir, ils peuvent se balbutier timidement ou pudiquement, ou encore envahir tout l'espace de notre cœur et, rapidement, toutes les strates de notre vie et de notre être. Ils sont semblables à une petite tache de rouille qui s'agrandit, à une goutte d'acide qui creuse et rayonne, dans les moments les plus inattendus, au milieu d'un partage qui pourtant avait commencé de façon très satisfaisante!

«Cet étrange moment où l'amour se mue en souffrance», a écrit le poète, nous déstabilise et nous plonge dans les interrogations les plus pernicieuses. La veille encore nous riions ensemble, nos lèvres esquissaient des projets, nos mains se cherchaient, nos corps se mêlaient, et surtout, aujourd'hui ressemblait à toujours. L'amour était là, immuable, présent, disponible, lumineux, sans retenue ni obstacle, et puis, quelques instants ou quelques jours plus tard, il n'est plus tout à fait le même. Il y a, chez l'un comme chez l'autre, des absences, des vides, une relation en pointillé où manque quelque chose que nous ne savons préciser ou définir, et qui pourtant fait défaut.

Apparemment rien n'a changé. Elle n'a pas encore dit « c'est fini », il n'est pas encore parti, ne s'est pas envolé. Elle est toujours là, présente, amoureuse comme hier, comme toujours. Il est présent, intensément présent, mais une ombre plane, des aspérités subtiles retiendront les moments d'abandon, avec des rires moins clairs, des dialogues intérieurs qui surgiront sans rapport avec ce qui se vit, là, à l'instant. Un doute est né...

Si nous adoptons la position de victimes (il peut arriver d'ailleurs qu'on s'y complaise), l'enfer commence. Le doute devient aigreur, chagrin, se transforme en désespoir, en colères, en accusations sur l'autre ou en disqualification de soi.

Les doutes comme les chagrins d'amour ont plusieurs visages et surtout de multiples moyens pour se révéler. Ils peuvent commencer à partir d'une inquiétude banale, puérile, d'une interrogation nouvelle qui surgit et nous taraude pour ne plus nous quitter : « M'aime-t-il toujours ? » ; « Suis-je l'homme de sa vie ? » ; « Il me semble qu'il a changé ces derniers temps, qu'il n'est plus le même avec moi » ; « Je sens bien que je ne lui suffis plus, elle sort plus souvent sans moi et je ne veux pas m'abaisser à l'interroger... »

Certains doutes peuvent s'installer à partir d'une déception, d'une désidéalisation de l'image de l'autre confrontée aux épreuves de la réalité autour d'un quotidien partagé ! Quand la réalité blesse notre imaginaire, déçoit nos attentes ou assassine nos rêves, les chagrins d'amour ne sont pas loin !

Mais le chagrin le plus violent, le plus terrible peut-être, est lié à la désertion de l'amour quand celui-ci se dérobe, s'anesthésie ou disparaît chez l'un des partenaires. « Notre amour (c'est-à-dire mes sentiments) était là, vivant, présent, puis j'ai pris conscience soudain qu'il n'était plus là, qu'il avait disparu, qu'il n'y avait plus à la place qu'un ressenti ambivalent dans lequel je m'obligeais à vivre. Quelques minutes après, j'ai ressenti le désir de m'éloigner, de pouvoir décider tout seul de ma soirée, d'être seul ailleurs. »

Quand s'impose l'évidence que l'amour a déserté notre cœur, notre corps, notre esprit, un vide s'ouvre, une faille, une plaie qui saigne sans autre raison que celle de nous rappeler douloureusement ce qui n'est plus présent au-dedans de nous, que nous ne pouvons même pas nommer et qui n'existe plus.

Certains chagrins d'amour, petits cailloux bleus sur le chemin étroit d'une rencontre amoureuse ou sur l'autoroute bien balisée d'une relation de couple, sont capables, quand ils ne sont pas dévastateurs, de nourrir, stimuler et maintenir la « vivance » d'un amour. Car l'amour, en nous confrontant à notre incomplétude, nous oblige, d'une certaine façon, à travers le regard, les attentes, le positionnement de l'autre, à prendre conscience non seulement du meilleur de nous-mêmes, mais aussi de nos imperfections, de nos manques ou de nos limites.

Au-delà des chagrins d'amour, il y a aussi les chagrins de vie.

Les chagrins de vie

Notre vie est traversée, tissée devrais-je dire (tricotée serait un mot encore plus juste), de ressentis intimes et de sentiments divers, de joies et de plaisirs, mais aussi de tristesses et de souffrances. À cela viennent s'ajouter, entre autres, ce que j'appelle les chagrins de vie, c'est-à-dire l'incursion soudaine d'un ressenti diffus (car ce n'est pas un sentiment) qui s'installe malgré nous dans nos pensées, notre corps, notre cœur, bref, un ensemble de sensations grises, pesantes ou étouffantes qui nous déportent vers un malaise ou un mal-être et qui vont polluer, tarauder la relation amoureuse, provoquant chez l'autre des interrogations : « Est-ce à cause de moi ? » ; « Qu'ai-je dit, fait ou pas dit, pas fait ? » ; « Je sens bien que tu t'ennuies en ma présence, mais dis-moi ce que je devrais faire ! »

L'élément déclencheur d'un chagrin peut être lié à un événement contemporain (la perte d'un être cher, une trahison, une frustration, ou encore un échec intime ou professionnel), mais aussi au réveil d'une blessure ancienne, à la réactivation d'une situation inachevée ou à la réactualisation d'une violence subie dans l'enfance qui remonte soudain à la surface de nos souvenirs.

Les chagrins de vie sont nombreux, capables de simplement nous déstabiliser ou nous inquiéter, mais aussi de nous blesser, et parfois même de nous dévorer, d'assécher nos cœurs ou de stériliser nos pensées. Ils peuvent nous dévitaliser aussi lorsqu'ils s'incrustent durablement pour entretenir des ruminations, de la rancœur et du désespoir, faisant ainsi obstacle à la rencontre du présent.

« Il y avait comme une plaque de verre entre nous, une vitre plus ou moins opaque selon les moments de la journée ou de la semaine, dit Jocelyne. Je butais dessus comme ces mouches têtues qu'on voit l'été, qui veulent aller vers plus de lumière sans jamais pouvoir l'atteindre, et que l'on retrouve, au petit matin, mortes, desséchées d'épuisement. »

Certains chagrins sont tout petits, fugaces, semblables à des nuages légers qui nous cachent le soleil et font de l'ombre de façon passagère à notre joie de vivre. D'autres, plus importants, vont se nourrir de tous nos soucis, envahir notre tête, dévier nos sens, altérer nos sensations, ou encore monopoliser nos énergies et nous laisser épuisés au bord du vide sur l'un ou l'autre des chemins de notre vie.

Certains chagrins ont besoin de se montrer (même quand on veut les cacher), et surtout de se déverser pour se répandre, avec l'idée de soulager ceux qui les vivent en étant partagés. D'autres préfèrent rester secrets, enfouis, masqués sous des apparences-écrans.

Mais les chagrins de vie peuvent aussi être le levain de notre créativité et nous déposer plus ouverts au seuil de nouvelles rencontres. « Une saine inquiétude, disait ma grand-mère, fait plus que force ni que rage face à quelques-uns des mystères de la vie, ou contre l'incompréhension de nos proches ou l'inertie et la passivité de notre entourage. »

Il est aussi des chagrins de vie qui nous retiennent sur les rives de la nostalgie et des regrets. « Ah ! Si nous avions su faire ceci ou cela ! Si nous avions osé nous dire (ou nous taire) ! Si nous avions pu prévoir que cela se passerait comme ça, alors nous n'aurions pas (ou nous aurions) fait ceci et encore cela ! »

Les chagrins de vie sont des balises pour nous rappeler à la fois la complexité de l'existence et aussi quelques fragilités liées à notre humanitude. À savoir que nous ne sommes que des mammifères plus évolués (peut-être) que d'autres, mais toujours prisonniers quand même de nos affects et de nos besoins primaires, parmi lesquels celui de pouvoir influencer notre environnement est peut-être le plus important. Nous découvrons que nous n'avons pas de pouvoir sur nos sentiments ni sur ceux de l'autre, que nous ne pouvons contrôler nos désirs sexuels, par exemple. Nous nous heurtons aux exigences d'une réalité sur laquelle nous n'avons pas toujours d'influence! Mais il existe de nombreuses façons de se consoler.

« Si tu as du chagrin, mon petit cœur, disait cette arrière-grand-mère à son arrière-petit-fils, donne-le-moi, ne le garde pas, moi je saurai toujours quoi en faire. Je vais en prendre soin, lui faire une petite place dans ma vie pour qu'il te laisse tranquille, toi que j'aime! »

Et cet homme amoureux murmurait à sa blonde: « Dis-moi ton chagrin, je vais le peindre en bleu, l'accrocher à un ballon et on le regardera ensemble monter dans le ciel, à la recherche d'une âme sœur. Il ne faut jamais laisser un chagrin s'ennuyer tout seul à l'intérieur de soi, il faut lui donner un compagnon ou une compagne... »

« Moi, les chagrins, dit Marcel, un homme d'affaires redoutable, je ne leur donne aucune chance de vivre très longtemps en moi. Je les sors de moi, je les mets à plat sur mon bureau, je les décortique: où, quand, comment, avec qui? Je ne m'embarrasse pas de pourquoi, ni de questions sur leur origine. Ensuite, je vais faire une partie de tennis, à mort, avec un collaborateur que j'ai choisi spécialement pour ça. D'ailleurs, il devient trop fort. Il a de plus en plus de mal à se laisser battre par moi. Je vais certainement engager quelqu'un d'autre! »

Ainsi, chacun, au fond de lui, a les moyens de se confronter ou de cohabiter avec ses chagrins sans se laisser emporter ou noyer par eux, mais aussi et surtout sans trop les déposer sur l'autre pour ne pas polluer l'amour ou la relation, car on nous a dit qu'aimer c'était bien sûr vivre le meilleur sans entretenir le pire!

Il n'y a pas d'amour sans émotion

On a longtemps pensé que les émotions étaient le propre de l'homme, celui-ci étant considéré comme le seul être vivant à pouvoir éprouver ce qui se présente parfois comme une tempête et d'autres fois comme une douce circulation d'émois et de ressentis agréables. Cette croyance a survécu dans notre culture alors qu'elle n'est pas du tout présente dans d'autres. En Occident, cela a dû nous arranger de penser, durant des millénaires, que les animaux et les plantes, la faune et la flore qui peuplent notre planète n'avaient pas d'émotions et encore moins de langages, que nous étions seuls à disposer de cette qualité, de ce pouvoir ou de cet inconvénient (quand les émotions nous submergent et nous entraînent à des comportements parfois excessifs).

Puis, nous avons découvert (après quelques résistances et difficultés) que les animaux ont eux aussi des langages très élaborés (à base de phéromones, de cris, audibles ou non, de vibrations) et grâce auxquels se transmettent des intentions, des refus ou des émois qui sont bien sûr particuliers à chaque espèce. Nous pressentons, depuis quelques années, que les plantes peuvent communiquer entre elles, qu'elles savent envoyer des messages et s'organiser pour, d'une certaine façon, se relier, entrer en relation - en particulier pour se faire féconder et se reproduire –, ou encore pour avoir la possibilité de se détruire ou de s'exterminer quand une espèce ne peut cohabiter avec une autre, ou que l'espace n'est pas suffisant pour que deux espèces puissent survivre sur un même territoire.

Les spécialistes des sciences du comportement nous ont appris que le nombre de nos émotions, à nous, humains, est relativement limité et stable. On peut les nommer, la liste est courte : la peur, la colère, la tristesse, la joie, le dégoût, la surprise et le mépris. Je ne sais si on pourrait y ajouter la capacité à s'enthousiasmer, qui est semblable à l'éveil d'une petite flamme en nous qui va nous dynamiser et nous porter, sinon nous transporter... Je crois que l'on pourrait aussi compter au nombre de nos émotions l'aptitude à nous émerveiller, à nous laisser emporter quand nous ressentons du plaisir, de la joie devant le beau, l'harmonie, quand nous sommes plongés au cœur d'une musique qui nous pénètre et vibre au plus profond de nous. Je ne pense pas, par contre, qu'il soit possible d'appeler « émotion » cette capacité de certains d'entre nous à s'autoviolenter en restant émotionnellement accrochés à un refus, en se privant, ou encore en restant enfermés « réactionnellement » dans le tout ou rien. Mais peut-être que ce sont là des variantes de l'une ou l'autre des sept émotions de base énoncées plus haut.

Ce qu'il faut savoir, c'est que les émotions, pas plus que le sentiment d'amour, ne peuvent se contrôler. Mais contrairement aux sentiments - qui se construisent à partir d'une alchimie complexe qui relie le présent au passé dans notre imaginaire -, les émotions ne viennent pas du cœur, comme on l'imagine. Les émotions sont semblables à des croyances actives qui explosent ou implosent dans notre corps. Si les sentiments, quand ils sont présents, peuvent se manifester avec le corps à travers des regards, des mots, des attouchements ou un contact intime, les émotions vont s'afficher, se montrer et parfois déborder indépendamment de notre volonté. Même masquées, elles apparaissent par de nombreux signes sur notre visage - modifiant sa température, sa coloration - et dans nos gestes ou nos attitudes, et peuvent donc être perçues par les autres.

Les émotions semblent innées, indépendantes de la culture reçue. Antonio Damasio, un anthropologue et neurologue américain, dit que les émotions ont une valeur universelle pour toute l'espèce humaine en ce sens que chacune d'elles s'exprime pratiquement avec les mêmes signes chez chacun, signes qui ont ainsi valeur de langage.

Ce qui peut nous pousser à nous interroger, c'est le sens à donner à nos émotions. Je serais tenté, pour ma part, de penser que les émotions sont l'équivalent d'un langage, un des plus anciens dans notre développement, celui avec lequel nous allons tenter de dire, de montrer l'indicible, d'exprimer parfois l'insupportable ou l'inacceptable. Ainsi, quand nous ne pouvons mettre des mots sur le retentissement d'un fait, d'une parole, d'une conduite sur nos blessures anciennes ou sur les situations inachevées de notre enfance, une émotion va témoigner de ce qui est touché en nous en provoquant un mot, un comportement, un événement, autant de stimulus qui peuvent nous rendre peureux ou heureux, nous paralyser, nous rendre irascibles, nous pousser à la fuite, à un acte de violence ou à un rapprochement, nous faire fondre de plaisir ou nous entraîner dans une tristesse infinie.

Les émotions devraient donc être entendues comme le langage du retentissement. Comme la voix de ce qui résonne, de ce qui fait écho en nous, et qui s'exprime avec une spontanéité envahissante qui parfois nous fait déborder.

Accepter d'entendre nos émotions, de les respecter (et non de les maîtriser ou de les réprimer, comme il était conseillé autrefois de le faire dans certaines familles ou certains milieux) est l'un des moyens, des chemins que l'on peut prendre pour être en accord avec soi-même. Ainsi, par exemple, si je suis triste parce que ce grand-père que j'aimais vient de mourir, peut-être que ma tristesse tente de cacher l'énorme colère qu'il y a en moi si j'ai ressenti sa mort comme une trahison et que je n'ai pu dire ce qui m'habitait au moment de sa disparition : « Je t'en veux, grand-père, d'être mort, car moi, j'avais encore besoin de toi, tu étais la seule personne qui me comprenait tout de suite, avec qui je pouvais échanger, à qui je pouvais tout dire… »

Par exemple, si j'ai envie de sauter de joie, de rire, de dire à tous ceux que je rencontre l'allégresse et la « joyeuseté » qui m'habitent en recevant la réponse d'un éditeur qui accepte de publier mon premier roman ou mon premier recueil de poèmes, je ne dois pas hésiter à partager toutes les émotions qui gravitent autour de cet événement.

Est-il plus facile de montrer les émotions positives, enthousiasmantes que celles qui sont plus négatives ou plus grises ? Je ne le sais pas. Si nous acceptons que les émotions forment un langage, cela suppose qu'elles doivent être reçues, entendues et accueillies sans que l'autre cherche à les minimiser, à les tempérer ou à tenter de nous rassurer en nous invitant à y renoncer.

Quand nous sommes en amour, nos émotions sont souvent à fleur de peau, présentes, prêtes à s'éveiller. Les hommes et les femmes les reconnaissent, les expriment et les partagent de façons différentes. Il semble que sur ce plan les hommes soient plus réservés, contrôlés, ou parfois même interdits d'émotion.

Puis-je vous inviter à « oser vos émotions », car elles sont la part intouchable de votre vitalité. Osez accueillir vos émotions comme celles de l'autre et de vos proches, c'est un cadeau que vous allez leur faire, ainsi qu'à vous-même !

Cette capacité à rester connecté avec vos émotions vous aidera certainement à mieux aimer, dans le tourbillon des émotions qui vont surgir lorsque vous entrerez en amour. Le couple devrait être le lieu privilégié pour accepter de vivre ses émotions sans retenue, sans contrainte, sans peur d'être jugé.

Les mystères du désir

Un être réalisé qui a rejoint son étoile intérieure vit, dit-on, un bonheur sans désir. Certaines approches spirituelles, certains enseignements visant à la recherche de la sagesse invitent le disciple à se dépouiller de tout désir, à renoncer à l'illusion de sa satisfaction, au leurre de sa répétition, pour libérer toutes ses énergies afin qu'il puisse en disposer pour s'accomplir pleinement. S'interroger sur les mystères du désir, c'est ouvrir un chemin à une des quêtes essentielles de l'homme : son mouvement vers plus d'absolu, vers l'inaccessible, son aspiration à un ciel non pas réduit au « religieux », mais ouvert sur le divin.

Ce qui me semble caractériser le désir, c'est le mouvement. Un mouvement vers. Vers l'objet de son désir, quand il est identifié, vers une démarche susceptible de conduire au plus près de ce qui a été nommé « désir », vers le comblement d'un manque diffus ou plus précis. Ce mouvement peut prendre la forme d'un élan irraisonné, d'une interrogation, d'un cheminement labyrinthique en direction à la fois de ce qui nous manque et de ce qui constitue la différence suprême : l'autre. Un autre qui n'est pas nous, ou qui peut être cette part de nous dont nous avons été séparés un jour, il y a longtemps, soit dans notre histoire temporelle (inscrite entre notre conception et notre mort), soit dans cette part d'histoire intemporelle (ce morceau d'éternité que nous sommes) dont nous sommes aussi habités.

Il conviendrait, chaque fois que l'on parle du désir, de ne pas le confondre avec le besoin. Le besoin se relie à la nécessité d'une réponse vitale susceptible d'assurer notre survie. Il est antérieur au désir dans le sens où il est prioritaire quant à sa satisfaction, surtout quand il s'agit des besoins vitaux primaires. Le désir, lui, est un dépassement de la survie pour un accomplissement de soi qui doit être de l'ordre d'une réunification avec le tout, avec une totalité dont nous pressentons qu'elle fait partie de nous et dont nous sommes irrémédiablement séparés.

Répondre à nos désirs au détriment de nos besoins peut conduire à l'anéantissement de soi. On le voit dans certaines passions amoureuses qui conduisent à la destruction de l'être désiré s'il ne peut appartenir totalement à celui qui le désire, ou à la destruction du désirant s'il sent qu'il ne pourra fusionner, se fondre avec celui qu'il désire, ni tenter de l'absorber.

Une autre dérive du désir est la dépression, qui se vit parfois comme un état sans désir: «Je n'ai envie de rien»; «Je ne sais pas ce qui m'intéresse, rien n'est important...» Être sans désir, c'est errer dans une sorte d'état végétatif. Ne pas avoir de désir pour un être, un projet, un objet extérieur à nous, c'est ne plus croire aux possibles d'un changement, d'une amélioration, d'un partage ou d'une relation.

Parfois, un désir vécu comme essentiel risque de se dissoudre, de s'éparpiller ou de se perdre dans une voie lactée d'étoiles virtuelles. D'autres fois encore, le désir qui veut prouver son existence se cherchera et s'incarnera dans un objet que l'on s'approprie, dans l'accumulation de biens matériels, sensoriels, affectifs, culturels et éthiques. Il renaîtra sans cesse des scories de sa consommation, des déchets de ses déceptions ou de ses satisfactions momentanées pour s'investir encore dans la recherche de nouveaux biens, de nouveaux objets ou engagements, dans une consommation affective ou sexuelle.

Dans les relations proches, le désir peut avoir deux visages:

- Il peut être dirigé vers l'autre. Ce désir est caractérisé par un mouvement en direction d'une personne, mouvement chargé le plus souvent d'énergie créatrice, d'offrandes, de dons de soi: «J'ai envie d'être avec elle, de lui parler, de lui donner, de la connaître, de partager avec elle», avec le sentiment que l'autre nous permet d'accéder au meilleur de soi pour que l'on puisse justement lui en faire cadeau.

- Il peut être dirigé sur l'autre ou être un désir du désir de l'autre. Ce désir est plutôt un mouvement de type boomerang qui paraît, dans un premier temps, tourné vers l'autre, mais qui est destiné à revenir vers nous. Le désir sur l'autre est bien un mouvement vers soi. Il s'agit d'un désir de pouvoir, d'influence qui peut devenir terroriste et traquer impitoyablement les résistances, la volonté ou le non-désir de l'autre: «J'ai envie qu'il ait envie d'être avec moi, de m'écouter, de recevoir ce que j'apporte, de se laisser connaître. J'ai le désir de son désir.» Ce type de désir est le plus difficile à vivre, car il peut conduire aux aberrations relationnelles du type: «Tu dois m'aimer, tu te dois d'aimer ce que j'aime!» Il est entretenu par la croyance en la toute-puissance du désir «capable de vaincre tous les obstacles, y compris le refus, le non-désir, le non-amour de l'autre...». Ce désir-là peut donc déboucher sur une double violence: contre soi-même et contre l'autre.

Découvrir (ou refuser de découvrir) qu'ils n'ont pas prise sur le désir de l'autre est parfois insupportable pour certains. Il est toujours difficile d'entendre (et d'accepter) que nous n'avons que le pouvoir (restreint) de l'éveiller (parfois) ou de le stimuler (éventuellement) quand ce désir est présent, mais que nous sommes démunis, impuissants quand le désir de l'autre est absent ou investi ailleurs. Le désir de l'autre lui appartient, soit il est potentiellement présent, soit il ne l'est pas. Quand notre propre désir se heurte au non-désir, et que nous comprenons qu'aussi fort soit-il, il n'a pas de pouvoir sur le désir de l'autre, nous pouvons être blessés, car cette découverte réactive l'I.T.P.I (l'illusion de la toute-puissance infantile), qui survit chez plusieurs d'entre nous. Cette illusion, qui remonte aux premiers jours de la vie, quand le bébé imagine que le monde qui l'entoure tourne autour de sa personne et que tous sont toujours prêts à satisfaire ses besoins et ses désirs sans demander de contrepartie, de façon quasi automatique. L'illusion de la toute-puissance infantile se heurte, en général vers deux ou trois ans, à la réalité. Maman, papa et l'entourage ne répondent plus «oui» systématiquement. Ils refusent, diffèrent, modifient leurs réponses, bref, ils frustrent, déçoivent, irritent l'enfant et le confrontent à la réalité qu'ils ne sont pas toujours au service de ses désirs. Ce sevrage relationnel, constitué d'une alternance de gratifications et de déceptions, permet au Moi de l'enfant de se structurer et de se consolider pour qu'il puisse faire face aux frustrations inévitables de la vie.

Dès qu'il se vit comme distinct de sa mère, le bébé découvre très vite qu'il n'a pas toujours prise sur son environnement. Il va quand même tenter d'exercer un certain pouvoir sur son entourage, sa mère surtout (s'il crie suffisamment fort et assez longtemps, c'est sûr qu'elle viendra, pense-t-il), tout en découvrant que, dans certaines circonstances, il ne peut changer les désirs de celle-ci (elle viendra parfois à contrecœur). L'enfant peut aussi comprendre qu'il a de l'influence sur les ressentis parasitaires comme la culpabilité, la peur de mal faire, de ne pas faire assez, ou sur l'image que l'autre veut avoir de lui-même. Trente ans plus tard, ces bébés devenus parents à leur tour tenteront encore d'exercer ce pouvoir, auquel ils n'auront pas renoncé, sur un être dépendant d'eux, leur enfant, en «marchandant» plus ou moins consciemment ses sentiments: «Tu ne peux pas faire cette peine-là à ton père, il ne s'en remettrait jamais»; «Tu sais combien ta mère t'aime, tu pourrais quand même faire un effort pour lui faire plaisir, travailler mieux à l'école.»

En réalité, pour l'enfant comme pour le parent, il n'y a que deux chemins possibles: soit il accepte que l'autre est différent et s'affirme devant lui tel qu'il est, avec ses désirs propres, parfois semblables aux siens et d'autres fois très éloignés de ses attentes, soit il tente de séduire l'autre, de le contraindre, de le manipuler, de le mystifier, ou même de le rendre fou pour le faire entrer dans sa sphère d'influence et le mettre au service de ses propres désirs.

Comme il subsiste en chacun des reliquats de cette illusion de la toute-puissance infantile et qu'il nous est difficile (et parfois impossible) de reconnaître que nous l'avons perdue, nous allons, en particulier dans la rencontre amoureuse, tenter de persuader l'autre de se mettre au service de nos désirs en lui laissant croire que c'est là une preuve de son amour !

Beaucoup de gens en couple jouent à ces jeux relationnels. Ils tentent de remplacer le désir de l'autre par le leur, ou d'amalgamer le désir de l'autre au leur. Chez certains, on retrouve même un enjeu supplémentaire : l'impérialisme du désir sexuel. Il y a, dans l'esprit et le cœur de beaucoup d'adultes, une confusion fréquente entre amour et désir. Beaucoup d'hommes et de femmes imaginent qu'ils aiment parce qu'ils sont « désirants » et ils attendent ainsi une preuve de réciprocité. « Regarde comme je t'aime, j'ai toujours du désir pour toi », dira cet homme à sa femme qui, elle, peut l'aimer sans pour autant éprouver de désir au même moment. Ce qui permettra au même homme d'affirmer : « Si tu n'as pas de désir, c'est que tu ne m'aimes pas. » Il tente ainsi de nier le mystère du désir, le miracle de son émergence, de sa mobilité et de sa fluidité.

Le désir reste un mystère dans le sens où il échappe non seulement à toute définition, à tout enfermement, mais aussi à toute loi, à toute règle. Parfois il est là, lumineux, dynamique, actif, et d'autres fois il s'absente, se dissout, se perd. Si le désir est, comme nous l'avons vu, un mouvement, nul ne connaît son moteur ou son carburant. Qu'est-ce qui le déclenche ? Qu'est-ce qui le nourrit ? Qu'est-ce qui l'entretient dans la durée ?

Le désir de la présence de l'autre, de son amour, de ses attentions peut être variable, mouvant, instable. Il peut se dérober, se diluer, voire disparaître sans raison, sans cause apparente. Le désir sexuel, par exemple, peut être très présent à un moment ou durant toute une période de la relation, puis se dissoudre, disparaître chez une femme (après une naissance, par exemple, comme si le bébé, nouveau venu, comblait ses sens, rassasiait toutes ses aspirations) ou chez un homme (confronté à sa propre impuissance à retrouver du travail après un licenciement, par exemple…).

Dans certains couples, le désir sexuel de l'un, encore si puissant quelques mois auparavant, peut s'atténuer, s'évaporer, sans qu'aucune stimulation ne parvienne à l'éveiller. Ces phénomènes incontrôlables vont réveiller chez l'autre une souffrance insupportable parce qu'incompréhensible. Il cherchera à tout prix une explication qui, de toute façon, ne le satisfera pas. Il y a chez le «désirant» un acharnement dérisoire et tenace pour chercher à comprendre, à expliquer et donc à influencer le positionnement de l'autre.

C'est à la fois terrible, pathétique et émouvant de voir deux êtres qui s'aiment et qui désirent poursuivre une relation de couple se déclarer une guerre meurtrière au cours de laquelle l'un tentera de dicter à l'autre qu'il devrait «quand même avoir du désir» ou «comment il devrait se comporter pour correspondre au désir de celui qui en a»!

Lorsque le désirant veut à tout prix comprendre ce qui s'est passé, rechercher s'il n'a pas un rival, un concurrent, s'il est toujours aimé, s'il n'a pas été maladroit ou inattentif, il va le plus souvent tenter de trouver une explication, une cause à la disparition du désir de l'autre ou s'en attribuer la responsabilité.

Le non-désirant est poussé à se défendre, à se justifier ou à utiliser des stratégies de détournement. Il peut tenter de décentrer le désirant, de le faire renoncer, de le culpabiliser: «Tu ne penses qu'à ça, tu pourrais t'intéresser à moi d'une autre manière, vivre avec moi d'autres désirs. Je ne suis pas là seulement pour faire l'amour, pour répondre à tes attentes...»

Le harcèlement peut se déplacer sur le plaisir de l'autre, exigé comme un dû, et se construire autour de la dynamique suivante: «Non seulement je veux que tu aies du désir pour moi, mais aussi du plaisir, car c'est ce qui est bon pour toi, c'est ce que j'attends de toi... pour me sentir bien, pour me sentir comme un vrai homme (ou une vraie femme)!»

Il peut aussi arriver que le désirant se disqualifie: «Si l'autre m'a comblé et qu'il se dérobe aujourd'hui à mon désir, qu'il me dépossède du sien, c'est que je ne vaux plus rien pour lui.» Il peut se sentir renvoyé au néant: «J'existais par son désir, et sans ce désir vers moi, la vie n'a plus de goût, plus de sens.» Il peut aussi arriver que le non-désir de l'un tue le désir de l'autre: «Moi, j'avais besoin de ton désir pour confirmer le mien. Quand je ne sens plus ton désir, le mien se dérobe, je me sens démuni, impuissant, j'ai une image négative de moi. » Et comme il ne souhaitera pas garder très longtemps cette image de lui, des tensions, voire des conflits, vont surgir dans le couple.

L'absence de désir chez l'un des partenaires d'un couple peut réactiver des béances insondables et mal cicatrisées, réveiller les manques toujours présents de la petite enfance, entraînant des réactions souvent disproportionnées chez des adultes habituellement raisonnables et socialement corrects. Des gens aimants vont même se découvrir intransigeants, parfois violents, souvent injustes envers la personne qui les aime !

Que devient un désir qui ne rencontre pas de réponse satisfaisante ? L'intolérance à la frustration l'a peut-être transformé en vaine exigence (avec des demandes répétées), en blessure profonde (mutisme, refus, repliement sur soi), en obsession dévitalisante (pornographie, etc.) ou en pratique déviante (sadomasochisme, voyeurisme, etc.).

Celui qui a tendance à renier son désir aussitôt qu'il rencontre une réponse négative confond le désir avec la réponse reçue. Aucun désir ne peut s'énoncer en termes de « si tu veux » ou « si tu es d'accord ». Le vouloir ou l'accord de l'autre, c'est la réponse qu'il donne, ce n'est pas son désir.

Pour se responsabiliser, chacun doit, dans un premier temps, oser reconnaître son désir (ou son non-désir) et accepter qu'il lui appartient. Ensuite, il faut oser reconnaître que le désir (ou le non-désir) de l'autre est… à l'autre. Si une rencontre, un accord peut se faire, tant mieux : sinon, il appartient à chacun de respecter son désir sans le violenter, car il est des désirs qui peuvent rester à l'état de désirs sans nécessairement se réaliser ou être comblés.

Le désir, protéiforme dans ses manifestations, mystérieux dans son éveil, évolutif, mobile, changeant, est le moteur qui va dynamiser l'essentiel d'une relation, nourrir des rêves et des projets, mais aussi entretenir les conflits et les drames.

L'infinie variété du désir, sa ténacité à renaître suscite émerveillement ou angoisse, plaisir ou déplaisir, bien-être ou malaise, mais le désir est toujours à l'origine de la créativité et du dépassement de soi, il est à la source de la beauté.

Il arrive parfois que la tendresse soit la composante non violente du désir et qu'elle puisse donc l'apaiser, sinon l'atténuer, sans pour autant nier sa vitalité.

À l'écoute du désir, chez soi et chez l'autre

Chaque jour qui se lève donne naissance, chez la plupart d'entre nous, à des désirs dont plusieurs ne se concrétiseront pas, mais qui nourriront une grande partie de notre vitalité. Chaque rencontre fait naître des attentes, mais des attentes si diverses, si différentes, si opposées parfois qu'elles ne se rejoignent pas toujours et qu'elles peuvent faire naître un fossé immense entre deux êtres. Chacun restant alors à l'aube de son désir.

Certains désirs sont rares, d'autres fragiles, d'autres, au contraire, pleins d'énergie. Ils peuvent se bousculer en nous, recherchant satisfaction ou apaisement. Tous nos désirs aspirent à être entendus, reconnus et même valorisés, surtout dans une rencontre amoureuse. Je dirais même plus, c'est l'une des spécificités de l'amour que de faire se rencontrer et s'accorder des désirs, ce qui ne veut pas toujours dire les satisfaire. Quelquefois, cela signifie assumer les conséquences de leur confrontation sans se blesser, s'éloigner ou se détruire. Cela s'appelle aimer.

« Même si elle ne peut répondre à mon désir, ce que je perçois bien, il est important pour moi qu'elle l'entende, qu'elle me confirme en quelque sorte son existence, dit Jacques. C'est le seul apaisement que je peux espérer. »

« Mon désir aura du mal à exister si le sien envahit le mien, si le sien s'impose et recherche satisfaction avant même que le mien s'éveille », dit Ginette.

« Nous n'avons pas les mêmes désirs et c'est heureux, car les siens m'entraînent sur des voies que je n'avais pas explorées jusqu'alors, ils me font découvrir des mondes inconnus, dit

Jérôme. Ma reconnaissance envers elle est immense. Ce qui me touche le plus, c'est l'espace de liberté qu'elle laisse entre mes désirs et les siens, c'est l'ouverture, la tolérance et le respect que je sens, son souci bienveillant de ne pas m'envahir, de me laisser me confronter, sans m'angoisser, à mes errances… »

Quand un désir est là, présent en nous, dans notre imaginaire ou notre corps, il peut tout emporter, envahir l'espace intérieur, déloger l'inutile, nous immobiliser ou nous dynamiser vers ce qui est essentiel pour lui : être comblé !

« Je n'ai eu de cesse que de retrouver sa trace, dit Alain, un reflet de sa présence dans chaque visage que je croisais, tentant d'inventer mille astuces pour trouver son adresse. Je l'avais entrevue au Musée des Offices à Florence, elle avait un carton de dessins à la main, j'imaginais qu'elle était étudiante en art. Je suis resté quinze jours dans cette ville, parcourant chaque salle, chaque ruelle avoisinante, tentant d'apercevoir un signe. Durant ces jours, chaque matin, j'inventais les possibles d'un miracle. J'allais la revoir, c'était sûr. J'allais au moins l'apercevoir. Je l'ai revue. Ce n'était plus elle. Quelque chose de sa beauté, de son unicité s'était envolé, perdu, effacé, je ne sais comment. Je ne savais plus si je m'étais trompé, si j'avais été trompé par mon souvenir. L'avais-je trop idéalisée, trop construite, trop enfermée dans mon imaginaire, au point de la couper de sa propre réalité ? Oui, je l'ai aperçue, mais je ne l'ai pas abordée. Je me sentais dépossédé de mon désir. Je me suis enfui de Florence, jurant de ne plus jamais revenir dans cette ville. »

Le propre d'un désir, c'est qu'il peut à la fois s'apaiser et se renouveler en étant comblé, et ainsi s'auto-entretenir par cela même qu'il réclame pour pouvoir disparaître.

« Mon désir renaissait plus vif, plus ardent à chacune de nos rencontres, dit Sylvie. Il s'enflammait de son propre désir à lui, devenait un brasier qui s'autoalimentait sans jamais s'affaiblir. J'étais un feu vivant, cela dura quatre ans. J'ai ainsi vécu à la fois hors de moi et en même temps profondément ancrée dans ma chair, possédée par une flamme douloureuse et délicieusement bonne. Je ne me suis jamais sentie aussi vivante en étant si désirante ! »

Le désir ne connaît que ses propres lois. Il est capable de transgresser tous les interdits, de dépasser toutes les limites, d'affronter tous les risques.

«Je savais qu'en acceptant de vivre avec lui, en le suivant dans son pays, j'allais devoir me soumettre à des règles de vie qui étaient aux antipodes de mes idées et même des combats que j'avais menés depuis que j'étais étudiante jusqu'à ce jour, dit Diane. Mais en l'aimant, j'étais devenue sourde à tout conseil, à tout sens critique. Je vivais au présent, l'avenir n'existait pas. Quand je me suis réveillée, quelques années plus tard, répudiée, dépossédée de mes enfants, j'avais l'impression que je sortais d'une histoire qui n'était pas la mienne, comme si une autre femme avait pris ma place durant ces dix dernières années et avait vécu à travers moi une existence qui ne m'avait pas appartenu. J'ai repris les combats de ma jeunesse, mais avec une motivation qui n'avait rien d'idéologique et des enjeux très concrets: retrouver mes enfants et mon identité, me réapproprier mon propre désir de vie et de bonheur, retrouver aussi le désir de me rencontrer, de m'aimer à nouveau et peut-être de pouvoir aimer et être aimée. Je n'en suis qu'à la première étape et c'est très bon.»

Un désir peut venir de très loin dans notre histoire et se réveiller à partir d'un regard. D'autres fois encore, il va s'inventer dans l'instant, devenir ardent dans une proximité soudain intense. Le désir au présent a toujours faim, toujours soif, il se présente et s'affirme comme inaccompli. Il veut sa complétude. Il se cherche dans l'autre mais peut aussi se perdre dans des attentes trop longues, se désamorcer dans une réponse trop tardive ou encore se multiplier et s'agrandir dans un appel ou une acceptation inconditionnelle de l'autre.

«Mon désir d'avoir une fille, alors que ma femme souhaitait avoir un garçon, s'était inscrit en moi très tôt, dit Michel. J'avais cinq ans à la naissance de mon frère. J'ai harcelé mes parents pour qu'ils aillent le "rapporter" à la maternité et l'échanger contre une fille. Les filles sont longtemps restées un grand mystère pour moi, des êtres mythiques auxquels j'attribuais des qualités, des talents, des ressources inouïes. Et bien sûr, j'échouais toujours dans mes relations amoureuses. Aucune n'arrivait à la hauteur de mes rêves.

Une seule me ramena à plus de réalité et fut la mère de notre fille, j'allais dire *ma* fille. Et le cycle se poursuivit avec elle jusqu'à ses dix-huit ans. Jusqu'au moment où elle s'enfuit de la maison. J'avais déposé sur elle tant de souhaits, d'injonctions, d'exigences que nous étions en conflit permanent, chacun dans une grande souffrance qui ne savait sa source. C'est donc ma fille qui me libéra de ma relation douloureuse avec mon frère. Peut-être aurais-je gagné du temps en me lançant dans une psychanalyse, mais à l'époque je n'avais aucune confiance dans les psys ! »

Un désir peut s'autodétruire de trop d'impatience ou d'une trop grande frustration, et s'aveugler aussi en provoquant la destruction de son propre objectif.

« Quand j'ai découvert qu'elle vivait une relation intime avec mon meilleur ami, dit Thierry, ce fut comme un raz-de-marée qui dévasta tous mes sentiments, qui réduisit à néant tous mes désirs et mes aspirations à vivre. Je m'envoyais à moi-même un message paradoxal : jamais, jamais plus je n'aimerai une femme qui me dira qu'elle m'aime. Ainsi, j'ai passé l'essentiel de ma vie d'adulte à aimer des femmes qui ne m'aimaient pas ! J'ai donc combattu durant des années contre moi-même, contre ma propre injonction, pour tenter de faire la preuve que je pouvais quand même gagner contre moi-même. Un combat perdu d'avance, mais qui me l'aurait dit ? »

Quand deux désirs se rencontrent dans la fête des corps, s'ils peuvent scintiller et vibrer ensemble et s'ils s'accordent, ils vont s'amplifier et occuper tout l'espace d'une rencontre et prolonger parfois le partage jusqu'aux rires du soleil, et parfois même des étoiles.

« Nos désirs semblaient se connaître depuis toujours, dira Valérie, comme s'ils n'attendaient que notre rencontre physique pour se révéler et cheminer ensemble sans se laisser distraire par quoi que ce soit. En fait, le vrai couple dans notre relation était celui de nos désirs. Nous n'étions, l'un et l'autre, que le support qui leur permettait d'exister et de se rencontrer ! »

Mais la plupart des désirs ne se suffisent pas à eux-mêmes. Ils ont besoin de s'incarner dans le plaisir de l'autre. Ils atteignent leur apogée lorsqu'ils sont partagés.

Est-ce Adam ou Ève qui demanda, après la première fois: «Comment allons-nous appeler ce que nous venons de vivre? Comment nous sera-t-il possible de nommer, de mettre des mots sur l'indicible?»

Si c'est Ève qui a posé la question, Adam a dû lui répondre: «Cela s'appelle faire l'amour!»

Si c'est Adam, alors Ève a certainement répondu: «Cela s'appelle être en amour!»

Cela peut faire mieux comprendre aux hommes qu'une femme est toujours ouverte et disponible pour une rencontre avec la passion, même si elle ne le sait pas toujours.

En amour, un des langages préférés du désir est celui formé par les gestes de l'attente, en plus des gestes offerts et reçus. Mais le langage le plus secret sera celui des regards, yeux fermés ou ouverts, remplis d'images qui témoignent du désir de l'autre.

Il est difficile de garder en nous le goût d'un désir, car certains désirs sont versatiles, et un désir peut en chasser un autre et le faire ainsi tomber dans l'oubli.

«Elle voulait une maison à elle, dit Sylvain. Je me suis mis au service de ce désir. Et pendant quatre ans, toutes les fins de semaine durant les vacances j'ai été présent sur le chantier pour réaliser ce désir. Notre séparation commença, je ne le savais pas encore - je l'ai compris plus tard -, le dimanche où j'ai planté sur le faîtage du toit enfin posé un petit drapeau constitué d'une de ses culottes et d'un soutien-gorge! Je considérais ce moment comme joyeux, plein de promesses, comme un ancrage pour la réalisation de mes propres désirs vers son corps! La "finition" dura encore quelques années. Elle vendit la maison sans même me prévenir. Comme elle était à son nom, cela ne lui posa aucun problème. "Pendant des années, tu m'as dépossédée de mon propre désir en le faisant tien!" m'a-t-elle dit sur le parvis du tribunal où le juge venait, quelques minutes auparavant, de nous confirmer que notre mariage était dissous. Cela s'appelle un divorce, moi je l'ai vécu comme un naufrage.»

Gardons-nous de déposséder l'autre de ses désirs, gardons les nôtres en éveil. Ils sont la preuve que nous sommes vivants et donc mortels.

De quelques malentendus autour du désir

L'émergence du désir, que ce soit dans ses manifestations les plus visibles chez l'homme ou plus discrètes chez la femme, reste au cœur de toute rencontre amoureuse. Le désir se révèle merveilleux quand il est accueilli, partagé, agrandi par celui de l'autre, mais plus inquiétant, plus menaçant quand il tente de s'imposer à celui ou celle qui ne le partage pas.

Ainsi, au cours des différentes périodes de notre vie, nous allons expérimenter de façon plus ou moins intense, plus ou moins retenue, l'irruption du désir, qui nous portera ou nous éloignera de la personne qui l'a réveillé. Car s'il y a souvent une vitalité contagieuse du désir, il peut y avoir aussi des inhibitions et des censures qui nous freinent ou nous interdisent de le reconnaître. Le désir peut mener à tout, au meilleur surtout, mais aussi au pire, pour soi et pour l'autre.

Si nous savons combien le désir est stimulant, et à quel point il est beau de désirer l'autre ou d'être désiré par lui, il peut aussi nous arriver de fuir un désir trop impérieux ou contraignant qui s'impose à nous.

Le désir est un merveilleux tremplin pour la créativité, un véritable terreau pour l'inventivité et, surtout, un moteur puissant, sinon pour créer de l'amour, du moins pour le stimuler, pour nous donner envie de nous dépasser et nous permettre de découvrir le meilleur de nos possibles. Sans désir nous sommes quasi moribonds, déjà morts avant d'avoir trépassé.

Seulement voilà, le désir, dès qu'il se révèle, devient la source d'un incroyable remue-ménage intérieur et extérieur dont la complexité nous dépasse parfois.

La pire des aliénations, la pire agression que nous pouvons proposer - inconsciemment - à l'autre est celle-ci: «Je désire que ton désir me désire!» Ce que certains, en effet, désirent plus que tout, c'est le désir de l'autre. Il s'agit là d'un désir toxique qui peut blesser durablement une relation amoureuse.

«Je me suis laissé enfermer durant vingt ans dans les désirs de ma femme, dit Robert. C'était une situation paradoxale, car j'étais un chef d'entreprise perçu par mes collaborateurs comme quelqu'un d'autoritaire, et pourtant, chez moi, je devenais soumis à ma femme tellement j'avais peur de la perdre. J'adhérais à toutes ses demandes, n'osant exprimer ni un doute ni un refus. Mon corps avait pourtant tenté de m'alerter - cela va vous faire rire -, je me suis souvent cassé le poignet, comme si je niais le poids qui pesait sur moi! Situation doublement paradoxale, car ma femme était soumise à sa mère. En sa présence, elle redevenait une petite fille tremblante. C'était étonnant de voir cette adulte, dont je redoutais les colères soudaines, s'infantiliser, s'excuser d'avoir osé faire de la peine à sa maman si fragile et si redoutable! Je ne sais comment j'ai réussi à m'évader de cette prison que j'avais créée de toutes pièces. Quand notre fille est tombée enceinte et qu'elle a refusé de se marier avec l'affreux séducteur qu'elle avait adoré tout un été en me disant: “Je ne veux pas devenir comme vous”, ce fut l'élément déclencheur. Cette phrase m'a donné le courage de partir.»

Certaines relations amoureuses peuvent ainsi se construire sur des bases complètement erronées. L'un, le désirant, va se situer dans une relation d'attentes, d'exigences, voire de prise de possession, l'autre, le désiré, de soumission, de compromission ou de fuite et de révolte.

La rencontre entre un désirant actif et un désiré passif peut ainsi mener à des relations douloureuses dans lesquelles celui qui veut imposer son désir ne sera pas plus lucide que celui qui se voit dépossédé du sien, qui n'a pas le temps de naître ou d'émerger.

Personne ne nous a appris à distinguer la direction du désir, à ne pas confondre le désir *vers* l'autre du désir *sur* l'autre. Peu d'entre nous savent - ou ils vont mettre beaucoup de temps avant de le découvrir - que le désir le plus violent est le désir du désir de l'autre quand il cherche à dominer le nôtre ! Et cela, qu'il y ait ou non complémentarité entre les partenaires.

Nous mettons souvent beaucoup de temps avant de comprendre que le désir en soi, le désir « désirant », porteur de vie et de créativité, ne peut que se proposer, s'offrir ou se mettre en retrait, en attente, se déplacer ou se sublimer. Tout cela avec à l'arrière-plan l'espoir d'éveiller le désir de l'autre, ou tout au moins d'être reçu et accueilli par lui.

Cette collusion très fréquente entre le désir vers l'autre et le désir sur l'autre blessera l'un et l'autre des partenaires et mènera à des blocages, des mises à distance ou une séparation.

Il appartiendra à chacun des membres d'un couple de découvrir avec beaucoup d'humilité que le désir n'est pas tout-puissant et qu'il ne peut s'inscrire que dans une offrande, avec l'espoir d'être reçu, accueilli et agrandi, mais en courant le risque d'être rejeté ou maltraité.

Mais que devient alors le désir non réalisé ? Soit il reste frustré et s'exprime par des accusations ou des reproches, soit il est sublimé vers les enfants, vers l'activité professionnelle ou une passion sportive ou culturelle. Il peut aussi se transcender dans la création artistique.

Et le désir non entendu, alors ? Celui-là ne meurt jamais. Il s'évade de tous les pièges, dénie les « rassurances » et les compassions. Il contourne tous les obstacles, s'immisce dans la moindre des pensées, s'affole à la plus petite des espérances. Il reste à l'affût d'un espace pour se réaliser, d'un projet pour se construire, d'une relation où se vivre. Il est porteur d'espérances et de rêves.

« Ses parents et les miens, pour des enjeux totalement différents, nous avaient interdit de nous voir, dit Laurent. J'avais quatorze ans, elle treize, je l'aimais à la folie. Ils envoyèrent leur fille chez des parents à l'étranger. J'ai gardé le désir d'elle, sans en être conscient, durant les vingt premières années de mon mariage. Un jour, elle m'écrivit, je la revis. Aujourd'hui, nous sommes ensemble depuis trente ans. Le jour de nos retrouvailles, elle m'a dit : "Je n'ai cessé de penser à toi, tu étais présent à chaque instant de ma vie. J'avais la certitude que nous allions nous revoir et recommencer là où nous avions été séparés." Mais pour nous réunir à nouveau, il avait fallu attendre, pour elle, la mort de sa mère et pour moi, celle de mon père ! »

Il arrive aussi qu'un désir ait besoin de rester à l'état de désir, dans les limbes de l'imaginaire, pour entretenir un espoir ou nourrir une attente qui restera désespérée. Ces désirs-là se nourrissent de rêves éveillés qui les maintiennent en vie.

« Je menais une double vie, dit Alice. Mariée, mère de famille, aimant mon mari, mais toujours amoureuse de mon cousin François. "Risque de consanguinité", avait décrété mon père quand, à dix-sept ans, j'avais affirmé à table que je ne me marierais jamais sauf avec François ! Je n'ai jamais épousé François, je n'ai jamais trompé mon mari avec un autre homme, mais l'essentiel de ma vie sexuelle s'est passé dans ma tête, avec mon premier amour. Quand François est mort, emporté, comme on dit, par un cancer, mon désir s'est éteint et je n'ai plus jamais fait l'amour avec mon mari. Je ne cherche pas à changer quoi que ce soit à cette situation. C'est un équilibre qui me convient, j'ai besoin de cette fidélité à mon premier amour. »

Rien n'est pire que le désir bafoué parce que non reconnu ou méprisé. Il arrive même à obscurcir le soleil d'une journée de printemps. Il rend triste le bleu du ciel et détourne, par sa violence, l'élan d'un rire ou la tendresse d'un instant. Le désir maltraité est capable de blesser à jamais l'amour le plus fou, de rendre fou l'amour le plus passionné.

« L'enfer commença entre nous quand elle m'annonça son désir de me quitter, dit Jacques. Je devins invivable, la harcelant de questions : y avait-il un manque dans notre relation ? Un autre homme ? Une femme ? Une attente insatisfaite ? Rien de tout cela chez elle, seulement le désir de se respecter, d'être enfin en accord avec elle-même, me disait-elle. Ce fut sordide. Je ne me reconnaissais plus du tout. Jamais je ne me serais cru capable d'autant de bassesses à son égard. Tout y est passé : l'argent, les enfants, son corps, sa famille. Je n'ose en donner le détail, car j'ai honte aujourd'hui. J'ai entrepris une longue et tumultueuse thérapie pour accepter d'entendre les blessures anciennes qui irriguaient mon désir pour elle. Le plus difficile ne fut pas de faire le deuil de notre relation conjugale mais de renoncer à mon désir pour elle, d'accepter de ne plus l'entretenir en moi. »

Être à l'écoute de ses désirs, ce qui ne veut pas dire nécessairement les réaliser, c'est aussi prendre le risque de dépasser les peurs qui les cachent ou les dévoilent.

« Ce n'était pas facile d'oser exprimer mon propre désir de faire l'amour, dit Aurélie. J'attendais toujours que mon partenaire fasse les premiers gestes, les premières avances. J'avais tellement peur d'être vue comme une fille facile, une marie-couche-toi-là, comme disait ma mère, qui faisait ce genre de commentaires en regardant, les soirs de bal au village, certaines filles danser et se laisser embrasser. Je crois que j'ai transmis cette peur à ma propre fille. Nous en avons parlé un jour et depuis, m'a-t-elle dit, cela va mieux pour elle, elle ose plus ! Je trouve aujourd'hui merveilleux d'être la mère que je suis devenue en permettant à ma fille d'être enfin elle-même ! »

À propos du cycle de l'amour

L'amour est comme l'oxygène. Il y en a partout, les sources sont multiples, mais son amplitude, sa générosité, sa musique et surtout sa durée sont souvent parasitées par des vibrations plus ou moins négatives issues de nos premiers conditionnements et surtout des pollutions relationnelles qui l'accompagnent.

Il me semble important de tenter de démystifier ce qu'il est convenu d'appeler l'Amour avec un grand A, et de montrer comment, au cours d'une existence humaine, les sentiments d'amour suivent différents mouvements et peuvent s'inscrire dans des dynamiques extrêmement contradictoires. En tentant de décrire la nature d'un sentiment et en présentant la dynamique relationnelle qui l'accompagne, je souhaite inviter chacun à une meilleure conscientisation de ce qu'il éprouve dans ce domaine et de ce qu'il propose (à lui-même et à l'autre) en disant: «Je t'aime.»

Je pense qu'il est possible pour chacun d'entre nous d'accomplir, au cours d'une existence, le cycle complet de l'amour. Je vais tenter d'en décrire les phases les plus importantes.

Non seulement nous arrivons au monde avec une immaturité physiologique importante qui fait que nous sommes dépendants, matériellement, de nos géniteurs, mais nous entrons dans la vie avec une immaturité affective tout aussi importante. Immaturité qui se traduira par divers mouvements ou étapes d'ajustement, de soumission ou d'opposition exprimant soit un attachement distancié, soit une dépendance relationnelle avec nos parents et les personnes significatives du début de notre existence. Ce qui peut placer certains d'entre nous dans la position de demandant, liée au besoin d'être aimé. Si nous ressentons ce besoin, il est vraisemblable que nous aurons du mal à aimer. Quand nous sommes dans la demande, il nous est difficile de donner. Nous restons parfois dans l'attente, dans le rêve de pouvoir être aimé sans savoir qu'il nous appartient de nous aimer pour pouvoir aimer et accepter d'être aimé en réciprocité.

«Je me souviens de cette partie de ma vie, dit Mario, où j'étais presque obsédé par l'attente d'être aimé, et surtout désiré. Chaque fois que je croisais une femme, je guettais dans ses yeux la possibilité d'une minuscule marque d'attention. Je quémandais de l'amour, du moins ce que j'appelais de l'amour, c'est-à-dire qu'on me reconnaisse, qu'on s'intéresse à moi, qu'on m'apprécie ou qu'on souhaite simplement ma présence. Je ne me rendais pas compte que mon avidité faisait fuir toutes les femmes.»

La plupart d'entre nous passent ensuite par une phase plus ou moins longue, où ils cultivent un nouveau besoin, celui d'aimer. Ils prennent le temps de se focaliser sur un objet d'amour, un être qui sera différencié des autres, reconnu comme pouvant être le dépositaire de leurs sentiments, sans entendre que parfois ce besoin d'aimer est porteur d'une demande plus ou moins explicite d'amour en réponse. Demande plus ou moins impatiente, qui peut parfois se transformer en exigence quand ils ont l'impression de ne pas avoir été suffisamment aimés. Ils attendent (ou exigent avec beaucoup d'impétuosité) de l'aimé... qu'il les aime à son tour!

«Je m'emballais très souvent, dit Alexandre, car je me sentais capable d'aimer toutes les femmes rencontrées ou simplement croisées. J'étais incapable de choisir. Je les voulais toutes. En vacances c'était terrible, je perdais la tête, entraîné dans un tourbillon de visages féminins, de corps, de seins, de bouches, un tourbillon qui se renouvelait sans fin.»

«En fait, je n'étais jamais seul, dit Jean-Pierre. J'avais beaucoup de relations, essentiellement dans ma tête. Je croisais une femme et je construisais aussitôt une rencontre, un dialogue, une relation, des projets, dans une improvisation tous azimuts, sans jamais être déçu, puisque c'est moi qui en inventais le déroulement et le dénouement. J'ai fonctionné comme cela durant près de trente ans, jusqu'au moment où je me suis stabilisé avec celle qui est aujourd'hui ma compagne. Les rêves, les projets, les dialogues que je vis, c'est maintenant avec elle, sans aucun parasitage. »

Dans la phase suivante, que j'appelle celle de la maturité affective, il peut y avoir une mise en commun.

« Aujourd'hui, après de multiples relations, j'aime et je me sens aimée par celui que j'aime, sans que cela soit de l'ordre du besoin, mais plutôt dans l'ordre du partage, du don mutuel », dit Marie-Jeanne.

Quand il devient possible de donner sans ressentir un besoin ou exiger la réciprocité, l'échange existe hors de tout troc affectif, dans un mouvement d'ouverture, d'abandon et de création.

Le poète Desnos, en quelques vers, a dit l'essentiel :

> « Il était une fois… un homme qui aimait une femme.
> Il était une fois… une femme qui aimait un homme.
>
> Mais il était une fois, une seule fois, un homme et une femme qui s'aimaient. »

Nous allons aussi être confrontés avec plus ou moins de lucidité à une évidence douloureuse, celle que nul ne sait à l'avance la durée de vie d'un amour. Dans un premier temps, nous allons refuser, résister, voire nier la fin possible d'un amour. Dans nos expectatives, dans notre imaginaire, nous voudrons continuer de penser, d'espérer, d'imaginer que notre amour, et celui de l'autre surtout, sera, lui (contrairement à d'autres plus fragiles), éternel, ou tout au moins qu'il durera tout le temps de notre vie terrestre… Nous mettons du temps à comprendre avec douleur et insécurité que les amours sont périssables, volatils, susceptibles d'être blessés, meurtris, et donc de se transformer ou de disparaître. Le désamour n'est pas inéluctable mais il n'est pas non plus évitable, car il échappe au contrôle de la volonté et du désir. Il est très difficile d'admettre que nous ne pouvons pas nous forcer à aimer quand nous n'aimons plus, que nous ne pouvons pas forcer l'autre à le faire quand son amour a disparu ou est déjà tourné vers un autre…

Il arrive aussi, et certains pourront en témoigner, que des amours qui ne se confondent pas avec de l'attachement s'amplifient, se nourrissent du meilleur de chacun offert dans le respect des attentes, des apports et des zones de vulnérabilité, et se poursuivent ainsi durant des années, au cœur même d'une plénitude qui les accueille et les protège des risques, des altérations et des vicissitudes inévitables d'une vie à deux.

« J'ai compris, dit Christian, que, malgré tout mon amour et le sien, nous ne pourrions pas rester ensemble sans nous donner les moyens d'apprendre simplement à communiquer, à mettre en commun nos pensées en acceptant de se dire et d'être entendus. Ce fut le premier pas pour la construction de notre couple. »

« Notre relation s'est consolidée, dit Francis, non pas avec l'arrivée de notre enfant (qui au contraire a failli nous séparer), mais quand j'ai découvert que ce que je voyais jusqu'alors comme quelque chose de simple, d'évident (je l'aimais, elle m'aimait, cela devait fonctionner), de facile n'était pas simple du tout. Cela se révélait même chaque jour comme une démarche difficile et laborieuse. Nous tombions dans tous les pièges. Pour que notre relation fonctionne, il fallait d'une part trouver des moyens concrets pour s'entendre, avoir la volonté de mettre en œuvre des balises communes et lutter de façon quasi permanente pour traquer les conditionnements induits par nos familles d'origine, par l'école, pour gérer la pression dans nos milieux de travail respectifs. Le plus difficile fut de prendre conscience que ce n'était pas l'amour qui allait nous maintenir ensemble, mais la qualité de nos relations, la richesse de nos échanges, notre capacité à nous remettre en cause (et non à remettre l'autre en cause !), et qu'au final nous devions nous engager dans un travail sur nous-mêmes. J'ai commencé, le ciel s'éclaircit maintenant et notre couple avance. Mais qui aurait dû nous préparer à cela ? »

Dans une dernière phase du cycle de l'amour, certains d'entre nous peuvent devenir amour, c'est-à-dire s'incarner totalement dans un sentiment unique.

« Tu m'as fait amour, a dit Sophie en tenant les mains de son mari qui abordait aux dernières heures de sa vie. Tu m'as fait amour et de cela je te serai éternellement reconnaissante. Tu m'as mise au monde de l'amour et cela m'aidera à ne pas te perdre et à te faire vivre encore longtemps en moi après ton départ. »

«Avec lui, dit Ariane, dans les premiers temps de notre relation, je n'étais pas en amour, j'étais en émotion. Et c'était plus fort que tous les amours que j'avais connus avant lui. C'est l'immense solitude dans laquelle il était qui m'a fait fondre. Je suis devenue amour pour le libérer de cette solitude. Il est mon compagnon depuis plus de quarante ans et cette émotion-amour est toujours présente en moi. Je la ressens comme indestructible. Elle me donne une consistance, une solidité sans faille qui me permet de l'aimer chaque jour davantage. Je n'ai plus besoin de le rêver, il est en moi.»

«Ah! Que les mots sont difficiles à trouver, à rapprocher les uns des autres pour dire l'inouï, l'indicible de l'amour dont je ne suis que l'enveloppe, le contenant, dit Édouard. Il m'arrive parfois d'avoir peur d'éclater, ou de m'envoler et d'aller ainsi rejoindre un espace inconnu, une planète nommée Aimance. Je ne sais combien de fois je me suis réveillé avec ce mot aux lèvres: Aimance, Aimance, comme un appel vers elle.»

«C'est Paul Éluard qui écrivait à Nusch: "J'étais si près de toi, que j'ai froid près des autres", dit Georges. Ce fut mon cas durant plusieurs années, et puis son amour à elle a pris une dimension plus universelle et j'ai senti que sa chaleur, à travers moi, se transmettait, se répandait sur les autres sans que je sois privé de rien. Je suis dans cette quiétude-là. J'ose le dire. Au cœur même de l'amour!»

En se désencombrant de l'inutile, du puéril, du superflu d'un quotidien dépouillé jusqu'à l'os, on accède à une réalité plus réelle, plus essentielle. En déposant nos leurres, en lâchant prise face à nos peurs, en renonçant aux tentations de l'appropriation, à l'illusion de la possession, nous pouvons entrer dans une autre dimension de l'amour, plus universelle. En nous reconnaissant porteurs d'un amour totalement oblatif, tourné vers autrui, hors du besoin d'aimer ou d'être aimé, nous devenons amour. Il s'agit là d'un don qui s'offre, s'amplifie dans la gratuité, dans la non-attente d'une attention ou d'une réponse de l'autre.

Ces amours-là sont à vivre essentiellement tournés vers autrui. Non dans «l'indifférenciation» mais dans l'abondance, la générosité. Ce sont des amours à dimension cosmique.

Mais avant d'en arriver là, voyons comment il sera possible, dans nos amours terrestres, de passer de la rencontre amoureuse à la relation de couple quand nous restons en amour, quand un désamour totalement imprévisible et incontrôlable ne s'abat pas sur nos sentiments.

Le désamour possible

Comme nul ne sait à l'avance la durée de vie d'un amour et que nous n'avons aucun pouvoir sur nos sentiments, pas plus que sur ceux de l'autre, la mort d'un amour, la disparition des sentiments que nous avions pour un être cher est possible. Cette perte d'une violence inouïe est incompréhensible. Elle échappe à toute raison, elle apparaît à chacun, à celui qui n'aime plus comme à celui qui n'est plus aimé, comme un séisme qui fait vaciller toutes les croyances, une injustice insupportable qui brise les élans, fossilise les projets, stérilise le présent et assassine, d'une certaine façon, l'avenir. Le plus souvent, nous n'avons rien vu venir, rien senti, rien anticipé, et soudain, un matin ou un soir, nous ne pouvons plus appeler amour l'ensemble des sentiments diffus et confus qui nous habitent. Nous tentons de les nommer, comme pour rattraper encore un peu de leur chaleur, de leur vitalité. Nous nous accrochons à des souvenirs heureux, à des moments de grâce vécus ensemble pour retarder, ralentir, éviter la disparition du sentiment qui nous a habités parfois durant de longues années. Nous revêtons nos sentiments défunts de tendresse, de gratitude, d'admiration. Nous redoublons d'affection (quel drôle de qualificatif pour nommer à la fois un trouble somatique et un sentiment soi-disant affectueux !), et nous avons beaucoup de mal à réaliser que ce n'est plus de l'amour.

À l'enthousiasme, à la joyeuseté, à la créativité ou au dynamisme qui nous portait succède un état d'insensibilité, comme une sensation d'anesthésie, de froid, de dureté et de sécheresse. Le désamour nous confronte à une évidence insupportable : quelque chose s'est figé, s'est desséché, s'est stérilisé en nous. Le souvenir même des jours ensoleillés, aimés et passionnés que nous partagions avec l'autre nous remplit d'une infinie nostalgie et d'une tristesse insondable, avec un goût amer au fond du cœur.

Le désamour est l'un des mystères de l'amour auquel nous sommes parfois confrontés. Devant lui nous sommes démunis, impuissants et frustrés de ne pouvoir continuer d'aimer… quelqu'un que nous n'aimons plus.

De la rencontre amoureuse à la relation de couple, ou comment vivre en couple dans la durée

Passer de la rencontre amoureuse à la relation de couple est certainement un des défis les plus souhaités mais les plus risqués pour le devenir de l'amour. À travers mon expérience personnelle, relativement limitée, et grâce aux témoignages que j'ai reçus comme formateur en relations humaines, j'ai pu engranger une somme respectable de situations, de réflexions, d'analyses et de grilles de compréhension sur l'aventure étonnante, quelquefois détonante, du couple. C'est principalement dans ma vie amoureuse, dans ma vie de couple et aussi dans ma vie de père que j'ai compris combien j'étais un infirme de la relation, un handicapé de la communication, et à quel point ce handicap faisait obstacle à ma capacité de vivre des relations fortes dans la durée. Tout cela s'est traduit, à travers beaucoup d'errances, par quelques dizaines de livres sur la tendresse et l'amour, sur la communication en couple, sur la relation avec les enfants, et surtout sur l'écoute de soi pour apprendre à mieux s'aimer, à mieux se respecter, à mieux se définir et ainsi à se positionner avec plus de cohérence dans les échanges intimes.

Essayons de préciser tout d'abord ce qui caractérise une rencontre amoureuse, puis voyons ce qui est propre aux relations de couple par rapport aux autres relations qui tissent notre existence.

Une rencontre amoureuse se construit principalement sur des choix inconscients, de l'attirance, des désirs, des sentiments, et souvent sur la recherche et la confirmation d'affinités communes. Pour que l'on puisse commencer à construire un couple, il doit y avoir une rencontre préliminaire de type amoureux, qui peut être nourrie de plusieurs façons.

Ce qui domine, dans les débuts d'une rencontre amoureuse, c'est le plaisir éprouvé dans l'anticipation à se voir, à échanger, à être dans la proximité physique de l'autre. S'ajoutera ensuite le plaisir au présent, en général partagé, durant la rencontre. Rapprochement proposé par l'un ou par l'autre avec l'espoir (plus ou moins conscientisé) d'aller plus loin, et même au-delà de la rencontre, vers une relation plus suivie, plus formelle, comme un projet de mariage, par exemple, dans le but de partager un rêve de vie en commun fondé sur des choix de vie et des sensibilités semblables, et des différences qui ne sont pas trop... incompatibles ! Tout cela est présent très tôt dans la rencontre, mais le plus souvent à l'état latent, nourri par des souhaits idéalisés, une utopie de vie à deux ou faisant référence au souvenir d'expériences antérieures ou à des croyances forgées très tôt dans l'existence de chacun des partenaires sur ce que devrait être le devenir d'une rencontre amoureuse...

Les choix inconscients ne sont pas faciles à repérer. Qu'est-ce qui fait que c'est justement cette femme ou cet homme que nous avons vu, remarqué tout de suite lors d'un cocktail, au cours d'une fête familiale, dans un groupe de travail ou assis sur la banquette d'un train ? Quels signaux avons-nous reçus ? Quels signaux avons-nous envoyés ? Quelles épreuves allons-nous rencontrer ou nous imposer qui nous conduiront à construire une relation qui sera durable ou vouée à l'échec avant même d'être commencée ? Quels changements, adaptations et mutations encore inconnus devrons-nous traverser ? Dans quelle mission de réparation allons-nous nous engager pour faire la preuve que nous pouvons réussir là où d'autres, nos parents ou des amis proches, par exemple, ont échoué ? À quelles fidélités allons-nous obéir en nous intéressant, puis en nous attachant, à cette personne qui nous a paru avoir besoin d'aide, ou bien qui paraissait si sûre d'elle, contrairement à nous ? Par quel cheminement avons-nous choisi cette femme, cet homme qui va remettre en cause nos croyances, nos certitudes et nous obliger à découvrir nos plus grandes vulnérabilités ou nos possibles inexploités ?

Les choix inconscients me semblent être l'un des moteurs les plus puissants pour créer la rencontre, la rendre significative pour l'un ou pour l'autre et lui donner dès le départ des ancrages et des certitudes, ou créer des interrogations et des doutes.

Les attirances, qu'elles soient réciproques ou univoques, sont à relier à des modèles inscrits très tôt dans notre histoire, à des injonctions reçues, à des croyances que nous avons construites pour nous rassurer ou nous protéger.

« J'étais persuadée que jamais je ne prendrais pour partenaire un homme qui serait plus petit que moi, dit Christine. Aujourd'hui encore je ne sais pas ce qui m'a attirée chez celui qui est devenu mon mari, alors que je le dépasse d'une tête ! »

« Dans les débuts de ma vie amoureuse, dit Roger, je ne regardais que les blondes avec des longs cheveux. J'adorais les queues-de-cheval. Je trouvais à toutes les femmes qui en portaient une grâce étonnante, mais j'étais tellement ému en leur présence que jamais je n'aurais osé faire le premier pas. Ce fut une brune qui le fit et j'ai répondu, mais aujourd'hui encore je sens en moi des élans secrets vers les blondes, avec une infinie nostalgie de n'avoir pas su en retenir une, alors que je suis très heureux avec ma femme... »

« Mon père était ce qu'on appelle un bel homme, dit Lucie, et tous les hommes que je rencontrais ne faisaient pas le poids à côté de lui, car je les comparais sans arrêt. Alors j'ai basculé vers les extrêmes, j'ai choisi un homme que tous mes proches trouvaient banal, à la limite du laid, sans aucun intérêt. Mais il avait une qualité rare : il était tendre, chaleureux, attentionné, extrêmement courtois et présent. L'inverse de mon père ! »

Les désirs ne sont pas toujours présents chez l'un et l'autre au même moment. Ils peuvent porter sur des enjeux très divers et parfois antagonistes, tels le désir sexuel chez l'un et le désir d'être respecté, de ne pas être vu comme un objet sexuel chez l'autre ! Il y aura chez l'un et l'autre des désirs qui auront du mal à s'accorder, car ils peuvent appartenir à des registres très différents dans lesquels, pour l'un, la dimension logique dominera alors que, pour l'autre, ce sera la dimension émotionnelle, ou l'enjeu relationnel sera au premier plan pour l'un tandis que pour l'autre ce sera l'enjeu matériel, ou encore l'un privilégiera l'action et l'autre la pensée irrationnelle.

« J'avais surtout le désir d'être rassurée, dit Chantal. Est-ce qu'il s'intéressait à moi pour ma poitrine, pour mes beaux yeux ou pour les qualités que je souhaitais mettre de l'avant ? »

« J'étais habité par le désir d'être accepté inconditionnellement, dit Mathieu. Aussi, au début de notre relation, je la mettais à l'épreuve en adoptant des attitudes excessives et parfois outrancières, comme si je voulais la décourager de s'intéresser à moi, vérifier si elle était vraiment capable de m'accepter tel que j'étais. »

« J'étais un rêveur, dit Philippe, "toujours dans la lune", comme disait ma mère. Ma conjointe était ce qu'on appelle une femme d'action, toujours en avance d'un projet ou deux, anticipant ce qu'il faudrait faire – son père disait d'elle qu'elle était le fils qu'il avait toujours voulu ! Au début, cela m'a tout à fait convenu, c'est par la suite que ça s'est dégradé. Je n'arrivais plus à suivre. Elle voulait que je sois quelqu'un que je n'étais pas ! »

Le sentiment amoureux chez l'un ou l'autre peut mettre beaucoup de temps à se révéler, à s'apprivoiser et à se partager. Le coup de foudre si recherché et si valorisé n'est pas toujours au rendez-vous. Il peut surgir parfois, envahir tout l'espace de la rencontre, brûler intensément celui ou celle qui le porte, se déverser sans trouver nécessairement le même écho, la même intensité chez l'autre.

« Au début, j'ai été émue, en état de stupeur, puis j'ai été émerveillée d'avoir pu déclencher une telle passion chez lui, dit Claire. Il me disait combien j'étais importante, essentielle, vitale à son existence. Il m'appelait plusieurs fois par jour pour me dire son amour, son désir de moi, tout le bon qu'il voulait m'apporter. C'était comme un tourbillon qui bousculait agréablement ma vie. Mais quelques mois plus tard, j'étais épuisée, car il me donnait beaucoup, bien sûr, mais il m'envahissait de sa présence. Je sentais qu'il attendait que je réponde à sa flamme, que je brûle pour lui comme lui brûlait pour moi. En fait, il me consumait. J'étouffais de trop d'attention, de trop d'attentes aussi de sa part. J'ai commencé à mettre de la distance pour pouvoir me retrouver. Ce fut atroce, sordide même, j'étais assaillie de reproches, il ne relevait plus que les manques, les insuffisances qu'il découvrait chez moi, et il y en avait beaucoup ! Je n'étais pas digne de son amour ! J'avais été une erreur, me disait-il. "Tu n'es pas à la hauteur de mon amour, jamais je n'aurais dû t'aimer !" Il me rendait responsable de la violence de ses sentiments. C'était sans issue. Je l'ai quitté, mais cela n'a pas arrêté son harcèlement, il avait besoin de m'humilier, de me détruire pour faire la preuve que je ne méritais pas son amour ! »

Il faudrait apprendre à démystifier plus vite les pseudo-amours. Ce qui pourrait nous aider, c'est de mieux comprendre le mouvement de l'amour ! Le mouvement de l'amour de celui qui aime est-il vers l'aimé, est-il dans le don, l'offrande, ou plutôt tourné vers lui-même, réclamant plus de présence, plus d'amour de la part de l'autre ? Combien de « je t'aime » sont des appels, des demandes, des leurres qui nous poussent ou nous entraînent vers des relations qui seront porteuses de malentendus, de frustrations, et surtout de souffrances et d'errances ?

L'amour le plus recherché reste, me semble-t-il, l'amour en réciprocité. Un don d'amour qui s'accorde avec celui de l'autre. Comme je l'ai déjà mentionné, la meilleure explication que j'ai eue de l'amour m'a été fournie par une image musicale. L'amour de l'un, telle une note de musique, qui rencontre l'amour de l'autre, autre note de musique. Ces deux notes, si elles s'accordent, vont vibrer ensemble et peuvent mener éventuellement à l'équivalent d'un concerto de Chopin ou d'une cantate de Bach ! Leïla l'exprime ainsi à sa façon : « Jamais je n'avais eu avant lui ce ressenti aussi plein, aussi fort, aussi vibrant, comme une communion de tous nos sens, un accord absolu, au sens musical du terme. » Avec le plus souvent le besoin, chez l'un ou l'autre, d'aller au-delà de la rencontre vers une relation plus suivie, sur le même territoire, pour créer une intimité plus visible, une alliance, une solidarité nouvelle à travers une relation de couple durable.

Certains couples vont se construire autour de différents malentendus à propos de sentiments (qui ne sont pas toujours réciproques), de rêves de vie (qui ne sont pas toujours semblables), de projets ou d'attentes (qui ne sont pas toujours conciliables). Il arrive aussi que des couples se créent autour de la peur, chez l'un, d'être abandonné, quitté. D'autres encore autour d'une croyance, celle de prouver (aux parents, par exemple) qu'il est possible de faire durer une relation. Il existe bien d'autres enjeux qui ne sont pas toujours clairement conscientisés et qui vont se dévoiler plus tard et nécessiter des ajustements, des remises en cause, voire des séparations.

Au-delà de la rencontre amoureuse, une relation de couple pour s'inscrire dans la durée doit reposer sur plusieurs ancrages (visibles ou moins visibles), qui seront autant de balises pour la vivifier !

Voici quelques conditions à respecter pour que chacun des protagonistes soit en mesure de construire un couple :

- Première condition : Ils doivent pouvoir s'allier, et donc être déliés, c'est-à-dire suffisamment distanciés des relations antérieures qui ont été importantes, voire essentielles, comme une relation parentale trop prégnante ou envahissante, ou une relation amoureuse inachevée ou toujours vivace dans le cœur et l'esprit d'un des partenaires.

  « Je sentais bien que mon mari, malgré ce qu'il m'affirmait, n'avait pas complètement renoncé à sa relation avec sa précédente compagne, dit Carole. J'ai découvert qu'il la voyait régulièrement, alors qu'il prétendait être débordé par son travail. Elle était toujours entre nous. En fait, il n'était pas délié d'elle. Notre relation fut ainsi durablement bancale. Il m'accusait d'être jalouse, mais je savais que cela ne se jouait pas sur ce plan, que notre alliance était en pointillé ! »

  « Je savais que sa mère était importante pour elle, et qu'elle restait très dépendante de son besoin de la voir, de lui demander conseil, de s'appuyer sur elle pour certaines décisions, dit Serge. Très rapidement, j'ai compris que son alliance principale n'était pas avec moi, mais avec sa mère... »

  « En fait, j'ai commencé ma vraie vie de couple à la mort de mon père, huit ans après mon mariage, dit Andrée.

Jusque-là, je me sentais avec mon mari comme une petite fille qui attendait en permanence d'être rassurée, qui lui faisait des demandes totalement immatures qui l'énervaient et l'éloignaient de moi. Puis soudain, je me suis comportée en femme avec une sexualité totalement différente, plus apaisée, plus complète, meilleure pour moi et pour lui aussi. C'est ainsi, je crois, que j'ai pu sauver mon couple... »

« Être déliée, je n'avais pas compris ce que cela voulait dire, dit Linda. Moi, je ne voulais pas renoncer à la relation très étroite que j'avais avec mon frère, jusqu'au moment où j'ai compris qu'il était jaloux de mon mari et tentait de me convaincre que j'avais fait une erreur en l'épousant, qu'il vaudrait mieux que je divorce et que nous recommencions à vivre ensemble, dans son grand appartement, où j'aurais toute la liberté d'inviter qui je voudrais, me disait-il. Devant mon refus, voyant la fermeté de ma position, il a décidé de partir en Australie, aux antipodes, le plus loin possible de moi. Il est mort six mois après d'une maladie dont je n'arrive jamais à retenir le nom. Quelques semaines plus tard, je quittais mon mari. Je vis toujours seule, avec la culpabilité de me sentir responsable de la mort de mon frère. Je n'étais pas déliée de lui et je sens que je ne le suis toujours pas ! »

- Deuxième condition : Ils doivent pouvoir s'engager, c'est-à-dire avoir une autonomie affective, matérielle et sociale suffisante pour ne pas rester dépendants des réponses et des apports de l'autre. Cela signifie aussi, pour chacun, d'être capable de faire le choix d'un partenaire qui a une autonomie affective, matérielle et sociale suffisante pour ne pas dépendre de l'autre. Cela suppose encore de pouvoir renoncer à d'autres relations intimes qui pourraient parasiter la relation principale, et donc de privilégier un être pour lui proposer une relation unique.

  « J'ai éprouvé très tôt le besoin de lui dire que je souhaitais vivre avec lui une relation de parité et d'équité relationnelle dans laquelle je ne voulais pas être au service de ses désirs et de ses besoins, même si je pouvais bien sûr répondre à certains d'entre eux s'ils correspondaient ou s'accordaient aux miens, dit Josée. J'ai senti aussitôt que cela l'éloignait de moi, mais j'ai quand même voulu persévérer. Je n'ai pas tenu compte de mon ressenti intime et je me suis engagée avec lui dans une relation qui s'est révélée mortifère pour moi. J'étais l'objet d'un chantage permanent. Il prétendait que, si je l'aimais vraiment, je devais faire ceci ou cela, que je devais apprécier sa mère, et surtout que je devais vouloir faire l'amour quand il en avait envie et avoir du plaisir à l'accompagner chez ses amis, bref, m'ajuster à toutes les situations qu'il me proposait, répondre à ses exigences et coller à ses besoins. Je m'éloignais de moi-même, je me perdais... »

« Il avait, avant notre rencontre, été quitté par deux femmes, dit Laura. Et sa blessure était tellement vive qu'il ne voulait pas recommencer avec une troisième, moi, en l'occurrence. Il refusa catégoriquement, durant quinze ans, de s'engager avec moi. Nous avions chacun notre appartement, mais nous partagions beaucoup de moments intenses. Puis il a enfin accepté de vivre avec moi à temps plein, comme il disait, mais il est mort six mois plus tard d'un cancer ! Je ne veux pas m'interroger sur la signification de sa maladie, cela lui appartient. Ce que je sais, par contre, c'est que je ne suis pas prête à m'engager avec un homme dans une relation à temps plein ! »

« Je n'avais aucune autonomie quand je l'ai épousé, dit Monique. J'avais vécu jusque-là chez mes parents, en totale dépendance affective et financière. Il jouait avec moi au père Noël. Il me comblait, m'assurait qu'il pourvoirait à tous mes besoins, qu'il ne m'était pas nécessaire de trouver un travail, ni même de passer mon permis de conduire puisqu'il était là... J'ai mis vingt ans à grandir ! Ce sont mes enfants qui m'ont permis de devenir adulte. J'ai passé mon permis le mois où mon fils a eu son baccalauréat. J'ai trouvé mon premier travail l'année où ma fille s'est mariée. Il nous a fallu beaucoup d'années de travail, traverser pas mal de conflits ouverts, et surtout changer nos comportements l'un envers l'autre pour pouvoir rester ensemble. Quand notre dernier fils a quitté la maison, j'ai proposé à mon mari de divorcer et de se remarier, s'il le souhaitait vraiment, avec la femme que j'étais devenue. Un nouveau mariage plus actualisé, de façon à former un vrai couple où chacun de nous deux puisse s'engager réellement envers l'autre. Ce fut formidable, il a accepté ! J'ai compris qu'il avait fallu tout ce temps pour construire une relation de couple satisfaisante pour l'un et pour l'autre ! »

- Troisième condition : Ils doivent pouvoir se projeter dans l'avenir : « Est-ce que je me vois vieillir avec cette personne ? » ; « Est-ce que je la vois comme la mère de mes enfants ? » ; « Est-ce que je veux que cet homme soit le père de mes enfants ? » ; « Puis-je envisager de partager avec elle un projet de vie à long terme ? »

  « Dès le début de ma relation avec lui, dit Claudine, j'ai senti que je ne pouvais pas envisager de vivre toute ma vie avec cet homme. J'avais la certitude qu'il y avait de par le monde un autre homme qui m'attendait. Je ne voulais pas commettre l'erreur de m'engager à ce moment-là, au risque de *perdre l'homme que j'imaginais pouvoir un jour rencontrer, et qui me correspondrait mieux !* J'ai ainsi attendu toute ma vie la réalisation de mon fantasme sans jamais pouvoir me lier durablement à un homme ! »

  « J'avais déposé un rêve de vie sur elle, dit Richard. Je me voyais, une fois les enfants installés dans la vie, devancer l'âge de la retraite et acheter un voilier pour parcourir le monde avec elle. Elle semblait d'accord mais rapidement elle me révéla qu'elle aspirait à tout autre chose, et en particulier à reprendre l'exploitation forestière de ses parents dans le Jura et même à l'agrandir… ce qui ne laissait pas beaucoup de place à un rêve de tour du monde en voilier ! Ce fut très dur de découvrir que nous avions deux rêves non seulement différents, mais incompatibles. Je n'ai pas devancé ma retraite, mais nous avons divorcé l'année où je l'ai prise.»

«J'avais un rêve de vie avec lui, que je n'ai jamais osé partager de peur de le voir critiqué ou rejeté, dit Sarah. J'aurais voulu que nous puissions créer une famille à nous. Il avait déjà six enfants de trois mariages différents, et j'aurais tellement voulu avoir au moins un enfant de lui! Je suis restée avec cette douleur au ventre durant des années! Je ne l'ai jamais quitté, mais il n'a jamais su qu'il m'avait perdue le jour où il s'est fait vasectomiser.»

- Quatrième condition: Ils doivent pouvoir partager une double intimité en termes de temps et de territoire, c'est-à-dire vivre une intimité commune et partagée, et, en même temps, être capable d'affirmer et de définir face à l'autre une intimité personnelle et réservée dans laquelle il n'intervient pas.

  «Il voulait tout faire, tout vivre, tout anticiper avec moi, dit Aline. Je n'avais plus un seul espace où me retrouver. J'ai mis longtemps à comprendre qu'il me contrôlait ainsi, et surtout, que je devenais dépendante de ses propres choix et incapable de donner aux miens un temps, un espace suffisant.»

  «Notre intimité était sans cesse menacée par sa famille, qui débarquait sans prévenir, s'installait, s'invitait pour une soirée ou une fin de semaine, dit Jean-Claude. Elle ne savait pas dire non à sa mère, et surtout elle quémandait sans cesse son approbation. Quand ses parents étaient là, nos enfants n'avaient plus de maman ni de mère. Elle devenait une petite fille terrorisée à l'idée qu'elle pouvait décevoir sa mère et son père, ne plus correspondre à leurs attentes!»

  «Après quelques semaines de mariage, j'ai compris que la relation principale de mon mari était son travail, et que sa maîtresse préférée était son entreprise, dit Lucie. Elle passait avant sa femme, ses enfants, elle avait la priorité sur tous les autres projets. À table, dans le lit conjugal, dans la voiture, elle était présente. Il y avait toujours un dossier d'ouvert, un téléphone qui sonnait, une lettre à terminer, un courriel à envoyer… Même quand il me faisait l'amour, je voyais des bulles qui s'agitaient dans sa tête, son corps se relâchait, il n'était pas là… »

- Cinquième condition : Ils doivent pouvoir définir leurs attentes : « Qu'est-ce que j'attends de cette personne avec laquelle j'envisage de m'engager pour une relation de longue durée ? »

  « Au début, je n'osais exprimer mes choix, dire ce qui m'aurait fait plaisir de vivre avec lui, ce que je voulais vraiment faire, dit Séverine. Lorsqu'il me demandait : "Qu'est-ce que tu aimerais faire ce dimanche ?", je répondais toujours : "Ce qui te ferait plaisir." N'ayant pas d'attentes spécifiques, je me modelais sur lui, en sentant bien que cela ne correspondait pas toujours à ma sensibilité. Je croyais que nous étions un couple uni parce que je m'ajustais à ses demandes sans les contrarier, et cela ne me rassure pas de penser qu'il y a de nombreux pseudo-couples qui fonctionnent sur ce modèle. »

  « J'ai vécu longtemps, dans une première séquence de ma vie de couple, sans avoir conscience que je mettais souvent les projets de mon mari en échec, dit Marie. J'y adhérais, dans un premier temps, puis, en cours de route, je critiquais ses choix. Un jour, j'ai compris qu'il était important que je définisse mieux mes propres attentes, que j'affirme dès le départ mes centres d'intérêt et mes goûts plutôt que de lui laisser croire que j'acceptais ses propositions. »

  « Elle était persuadée que j'aimais la mer, dit Guy, et durant quinze ans nous avons passé nos vacances au bord de l'océan. Je faisais régulièrement un herpès ou une gastro carabinée durant les vacances. Mon corps avait compris avant moi que je ne me respectais pas en ne définissant pas mes propres attentes, en faisant semblant d'être en accord avec les siennes ! »

« Je calquais mes demandes sur les siennes. Je lui répondais non en fonction de ce que je ressentais, mais en essayant d'anticiper ce qui lui conviendrait, dit Anne. Combien de fois suis-je passée à côté d'un vrai partage ! Aux yeux de tous mes amis, nous passions pour un couple modèle, mais j'ai vécu toutes ces années de mariage en étant angoissée à l'idée que mon mari découvre que je me détestais de vivre ainsi en désaccord avec moi-même. Je me demande souvent qui m'a appris à me saboter avec autant d'habileté. Je crains d'avoir transmis cette habitude à mes enfants. »

- Sixième condition : Ils doivent pouvoir mieux définir leurs apports : « Qu'est-ce que j'ai envie de lui donner, de lui apporter que je n'ai pas envie de donner à quelqu'un d'autre ? »

  « Pendant des années il me donna en abondance ce dont je n'avais nullement besoin, dit Jeanne. Il anticipait ce qu'il croyait être mes désirs, en pensant me faire plaisir. Ainsi, mon armoire était remplie de robes qu'il m'avait offertes et que je n'ai jamais portées. »

  « Quand il voulait faire l'amour, il était persuadé que c'était pour me faire plaisir, dit Suzy, mais son désir était tellement impérieux, tellement dominant qu'il ne permettait pas au mien de naître. »

  « En me demandant trop, elle ne me permettait pas de lui donner, dit Gérald. Durant toutes ces années de mariage, j'avais le sentiment qu'elle prenait en exigeant, réduisant à néant mes offrandes et mes apports possibles vers elle. »

  « Comme femme, je sentais que j'avais beaucoup de choses à lui apporter, dit Lily, mais c'était un homme qui ne savait pas recevoir. Recevoir, pour lui, c'était s'endetter, devoir quelque chose ! Et lui, il ne voulait rien devoir, surtout pas à une femme. Nous étions toujours en réaction l'un envers l'autre, je voulais sans arrêt lui donner quelque chose qu'il refusait à tout prix. »

- Septième condition: Ils doivent pouvoir repérer leurs zones d'intolérance, c'est-à-dire être capables de mieux percevoir l'impact d'une parole, d'un geste, d'un comportement sur un aspect sensible de leur histoire. Savoir repérer le retentissement qui va soudain les déstabiliser au point de les faire réagir (le plus souvent) de façon excessive, inadéquate et parfois violente à cause d'un mot, d'un comportement ou d'un événement qui, vu de l'extérieur, peut paraître banal ou anodin, mais que l'un va recevoir à ce moment-là comme une agression inacceptable.

  «Chaque fois qu'il me disait que je devrais être plus vigilante pour ma toilette intime, comme si je n'étais pas assez propre, je me sentais insultée. On aurait dit que je n'avais aucun respect pour mon corps! dit Angela. Je n'entendais rien de ce qu'il me demandait réellement et je passais des heures à me demander pourquoi il avait besoin de m'humilier ainsi.»

  «Elle voulait à tout prix m'apprendre comment je devais nettoyer la douche après ma toilette, dit Gustave. Elle me rappelait ma mère, qui venait me chercher dans la rue quand je jouais avec les copains pour que je vienne nettoyer la baignoire! C'était insupportable. Je me sentais infantilisé et bien sûr je ruais dans les brancards et m'opposais à toutes ses demandes!»

  «Chaque fois qu'il faisait allusion, devant des amis, au cours d'un repas, à toutes ces femmes qui ont la migraine au moment de faire l'amour, je me sentais visée et surtout incomprise, car j'avais souvent des migraines, dit Lise. J'adorais faire l'amour, mais je n'ai jamais pu lui dire que je n'aimais pas l'odeur de son sexe, que celle-ci me bloquait et m'éloignait de lui quand il insistait.»

  «Je ne supportais pas qu'il se cure le nez devant moi, dit Laurie. Je ne me sentais pas respectée. En plus, cela lui donnait un air débile qui me déprimait. Dans ces moments-là, j'avais honte d'être sa femme…»

  «Tout a changé pour le mieux dans notre relation quand nous avons découvert l'un et l'autre qu'il était possible de demander en prenant le risque que l'autre refuse, que nous avons compris qu'une réponse négative n'était pas un refus de l'autre personne, mais un positionnement clair vis-à-vis d'une demande», dit Thomas.

- Huitième condition: Ils doivent pouvoir proposer à leur partenaire des échanges et des partages vivants, stimulants, en réciprocité, sans établir de relation d'aliénation ou de soumission, sans qu'il y ait un dominant ou un dominé, et surtout sans violences verbale, psychologique ou corporelle. Ils doivent créer une relation dans laquelle chacun des partenaires a la possibilité de demander (et d'accueillir la réponse de l'autre), de donner (en se sentant reçu), de recevoir (sans se sentir envahi) ou de refuser (sans se sentir coupable et sans déclencher un cataclysme d'accusations ou de reproches).

  «Quand j'ai tenté de remettre en cause la relation qu'il me proposait, il a cru que je l'accusais d'être un mauvais mari, dit Alexa. J'ai voulu à plusieurs reprises lui expliquer que ce n'était pas sa personne que je remettais en cause, mais la relation qu'il avait avec moi. Relation qui me semblait incomplète, mal entretenue, avortée en quelque sorte. Relation qui se résumait pour lui à demander ou à refuser, comme si donner et recevoir ne faisaient pas partie des possibilités! J'étais toujours en attente devant lui, comme inachevée...»

  «Il avait une façon bien à lui d'ironiser, de tout tourner à la rigolade, de tout banaliser, dit Christine. "Tu es trop sérieuse, me disait-il. Avec toi tout devient un drame qu'il faut comprendre, décortiquer, un problème à résoudre sans quoi la terre va s'arrêter de tourner! Si tu te posais moins de questions, nous serions plus heureux." Moi, j'entendais qu'il était malheureux en ma compagnie.»

  «Je ne savais pas me dire, je pensais que faire une demande, c'était s'humilier à quémander, alors j'attendais qu'elle devine, dit Charles. J'imaginais que, si elle m'aimait vraiment, comme elle l'affirmait, elle devrait me comprendre sans même que je m'exprime...»

Les conditions de base qui sont en fait des balises susceptibles de favoriser des partages et des échanges en réciprocité sont rarement conscientisées dans les débuts d'une relation de couple. Normalement, les partenaires les découvrent et les intègrent progressivement dans leurs échanges, mais s'ils ne le font pas, il y aura en quelque sorte une maltraitance aveugle, au quotidien, de leur relation.

Nous savons bien, les uns et les autres, que rien n'est pire que la solitude à deux, quand nous sommes confrontés quasiment tous les jours au dénigrement et au déni, quand nous avons, dans une relation intime, le sentiment que nos besoins relationnels ne sont pas entendus ou respectés par l'autre, quand nous avons la certitude que rien ne peut changer, que ça ne sert à rien de parler, puisque cela se retournera contre nous ou donnera lieu à une disqualification de plus.

Ce qu'il faut aussi savoir, c'est que la vie en couple va, le plus souvent, faire naître de nouveaux besoins qui n'étaient pas présents ou nécessairement conscientisés jusqu'alors :

- Le besoin de se proposer des échanges dans lesquels il serait possible de se dire dans différents registres : sentiments, ressentis, émotions, croyances, idées, etc., et surtout d'être entendus dans le registre où l'on s'exprime, d'être sur la même longueur d'onde que l'autre !

  « D'un seul coup, je découvrais qu'il y avait une personne, une seule au monde, capable de m'écouter sans me couper, de m'encourager à me dire sans prendre un air accablé parce que mes idées s'éparpillaient dans toutes les directions ou que mes émotions surgissaient soudainement, m'empêchant de parler durant plusieurs minutes, dit Gilberte. Il acceptait tout cela sans se fermer comme le faisait mon partenaire précédent. Il a apprivoisé cette partie de moi qui, comme un oiseau affolé, se cognait à tous les obstacles dès que je commençais à parler de moi ! »
- Le besoin d'avoir confiance, en soi-même et en l'autre, de se sentir en sécurité en sa présence.

« La liberté qu'elle avait avec son corps me libéra de mes doutes sur le mien, dit Gilles. Elle circulait nue dans la pièce avec une aisance qui me donnait envie de pleurer, car je trouvais extraordinaire qu'elle me fasse ainsi confiance. Jamais je n'aurais cru mériter le cadeau de son corps, et elle me l'offrait sans rien demander en échange. »

« J'ai pu lui confier des choses que je n'avais jamais osé dire à personne, dit Victor. Elle m'écoutait avec ses yeux sans m'interrompre, sans faire de commentaire, sans émettre aucun jugement, avec une gravité et une émotion contenue qui me rejoignaient au plus profond de moi. »

- Le besoin de mettre l'autre à l'épreuve. La confiance est parfois mêlée à la crainte d'être abandonné, ou que l'autre puisse être toxique pour nous, qu'il se révèle dangereux pour notre épanouissement ou notre croissance.

  « J'avais peur de perdre la tête, de lui donner trop de pouvoir sur moi, d'être à sa merci, dit Gisèle. Alors je résistais. Je freinais. Je faisais des histoires pour des détails, attendant qu'il me déçoive, pour avoir une vraie raison de le remettre en cause et ainsi confirmer ma méfiance à m'abandonner. Mais il ne s'est pas laissé décourager par mes autosaboteurs, et pour cela, j'ai une reconnaissance infinie envers lui. »

Toute relation amoureuse est à risque, car nul ne sait à l'avance la durée d'un amour ! C'est pourquoi il convient de vivre une relation de couple dans le plein d'un présent, sans le charger de reproches et de ressentiments, de pouvoir nourrir la relation par des échanges et des partages de qualité. Ce qui maintient deux êtres ensemble, ce ne sont pas les sentiments, mais plutôt la richesse de la relation. C'est elle qui va vivifier, alimenter les sentiments, dynamiser les désirs et ciseler les affinités de l'un et de l'autre.

La durée de vie d'un couple sera donc liée à la vitalité de la relation que chacun proposera à l'autre. Relation dans laquelle devraient circuler plus de messages positifs, gratifiants, valorisants et bienveillants que de messages toxiques, à base de dévalorisations, de critiques, de reproches et d'accusations. La durée de vie du couple sera aussi liée à la capacité de chacun de pouvoir se remettre en cause, de partager des aspirations, des imaginaires et des rêves différents.

Ce qu'il faut savoir aussi, c'est qu'un couple va nécessairement traverser plusieurs épreuves, dont celle de passer de la fusion (1 + 1 = 1) à la différenciation (1 + 1 = 2), pour arriver à la triangulation relationnelle (1 + la relation + 1 = 3).

« Durant les trois premières années, nous ne faisions qu'un, dit Mélanie. Aucun nuage, aucun conflit, aucun désaccord. J'étais ce qu'il voulait, il était ce que je souhaitais. Nous étions dans un *nous* à temps plein. Je ressentais comme une preuve d'amour chacun de ces instants de fusion. Puis, quelque chose s'est fissuré dans ce bel édifice, quelque chose s'est installé sans que j'en sois consciente. Un besoin de distance, d'oxygène, de pouvoir disposer d'un espace à moi. Cela a failli nous séparer. Nous nous sommes éloignés l'un de l'autre jusqu'au moment où chacun a pu trouver la bonne distance. Il faut parfois se séparer pour pouvoir se rencontrer, ai-je lu quelque part. Se rencontrer au-delà des apparences et des projections que l'on peut faire sur l'autre, se rencontrer dans ce qu'il y a de plus primaire en nous pour savoir si on a réellement envie de poursuivre... »

« Ce fut terrible pour lui de découvrir que je ne ressentais pas les mêmes choses que lui, que je n'accordais pas la même valeur ou la même importance que lui à l'argent, à la famille, dit Sonia. Je ne partageais pas son besoin d'être toujours en représentation, de faire la preuve qu'il était le meilleur... Ce fut comme si soudain il voyait devant lui à table, dans le lit ou dans le salon, une étrangère et même une intruse ! L'acceptation de nos différences fut une épreuve douloureuse pour lui comme pour moi. Durant cette période, notre amour fut en danger, du moins je l'ai cru, mais il s'est renforcé ! »

« Quand je lui tendais une écharpe, qui symbolisait la relation que nous avions, dit Aline, il avait un geste de recul et ricanait. "Encore des trucs à la Salomé ! J'ai pas envie d'être infantilisé avec ça", me jetait-il à la figure. Chaque fois qu'il y avait une tension dans la relation, il se réfugiait dans les sentiments qu'il éprouvait pour moi. "La seule chose que je sais, c'est que je t'aime", me disait-il avec une violence contenue qui contredisait sa déclaration. Je m'accrochais à mon bout de la relation, lui affirmant de façon répétitive, et cela devait être insupportable pour lui, *qu'une relation a deux bouts, que chacun d'entre nous était responsable de son bout,* et que je n'avais plus du tout envie qu'il parle de moi, qu'il pense à ma place, qu'il me définisse, qu'il m'impose ses choix en étant persuadé qu'ils étaient meilleurs pour moi. Je me sentais infantilisée quand il affirmait qu'aucun autre homme ne ferait pour une femme ce qu'il faisait pour moi, et culpabilisée quand il balbutiait que j'étais toute sa vie et qu'il ne voyait pas comment il pourrait vivre sans moi, que je devais éviter de lui faire de la peine, de le blesser en introduisant cette connerie d'écharpe relationnelle, alors qu'il n'avait pour seul désir que de me rendre heureuse. Heureuse à tout prix ! Ce *à tout prix* me faisait une violence terrible. Je n'ai pas lâché prise. Il a dû sentir à un moment donné qu'il allait me perdre s'il continuait à vouloir m'imposer ce bonheur dont il était persuadé détenir seul la clé ! Je crois que sa prise de conscience s'est déclenchée quand j'ai pu lui dire : "La relation que tu m'as proposée et que j'ai acceptée durant dix ans ne correspond plus à la femme que je suis devenue. Que je suis devenue grâce à toi. Cette femme que tu as devant toi n'est pas celle que tu as épousée. Elle a d'autres besoins, d'autres attentes, d'autres possibles à partager avec toi. Cette femme qui est devant toi n'est pas celle qui est dans ta tête. Elle veut une relation en réciprocité. C'est vital pour elle. Si tu ne peux pas me proposer cette relation, je préfère partir. Mais ce n'est pas toi que j'ai envie de quitter, c'est la relation que tu tentes de m'imposer et qui ne me convient plus !" Je ne sais ce que j'ai touché en lui ce jour-là, mais quelque chose s'est mis en marche, quelque chose a pivoté, changé. Nous sommes toujours ensemble et cela va de mieux en mieux entre nous, sur tous les plans ! »

Une autre épreuve possible dans la vie d'un couple est l'irruption d'une défaillance ou d'une carence dans le désir (qu'il ne faut pas confondre avec la panne, qui n'est que transitoire). Un désir peut ne pas être entendu ou reçu par l'autre, il peut ne pas être accompagné et amplifié, et ne plus susciter de plaisir à être partagé. Il peut être blessé ou en attente de jours meilleurs, mais quand un désir est mort, qu'il a totalement disparu, cela peut mener à un abîme d'interrogations.

« Ce fut toute une aventure de partir à la recherche de son désir qui était provisoirement absent, dit Nicole. Je croyais de toutes mes forces à ce provisoire ! Nous avions inventé un jeu : "Désir, mon beau désir, es-tu là ?" Nous le cherchions dans tous les coins de la maison, sous le lit, derrière les livres de la bibliothèque, dans le jardin… Et puis, sans prévenir, son désir est revenu, plus vivant que jamais. Ce n'est que plus tard qu'il a pu associer sa panne avec la mort de sa première petite amie. Cela m'a donné à réfléchir sur le fonctionnement du désir sexuel ! »

Quand l'appétence sexuelle disparaît durablement, qu'elle n'est plus présente chez l'un pour diverses raisons, que surtout le silence s'installe, alors commence une épreuve difficile pour le couple qui peut mener à des compensations, de l'amertume, des fuites et parfois même à de la violence.

Peut se construire aussi une *relation de compagnonnage* irriguée par de l'affection, du soutien mutuel et des projets en commun, et nourrie par une amitié amoureuse. Mais ce n'est plus ce que j'appelle un couple, car le propre d'un couple c'est de vivre, entre autres, des relations sexuelles fondées sur la recherche d'un plaisir partagé.

Une des épreuves les plus redoutables qui guette le couple, c'est lorsque l'envie s'installe, chez l'un des partenaires, de vivre une relation parallèle !

L'infidélité, souvent vécue par celui qui la subit comme une tromperie, peut aussi être entendue comme une fidélité à soi-même, quand le cœur est touché et qu'une attirance, un désir, des sentiments nouveaux surgissent chez l'un, envers une tierce personne.

Ainsi, infidélité et fidélité vont se vivre de façon conflictuelle, par exemple si l'un des partenaires choisit de vivre une relation avec une tierce personne en parallèle avec sa relation principale. Quand se déclenche un nouvel amour, nous n'avons aucun pouvoir sur nos sentiments amoureux. Par contre, nous pouvons décider de nous « ouvrir ou pas », de « nous engager ou pas » avec une tierce personne et donc de vivre ou non une relation parallèle. Il est toujours possible de renoncer à une relation parallèle, non seulement pour ne pas mettre notre relation principale en danger, mais aussi parce que celle-ci nous paraît essentielle, mais il peut arriver que certains soient tentés de vivre les deux !

Il y a toujours un choix intime possible. Si nous tombons amoureux d'une autre personne, allons-nous concrétiser cet amour ? Allons-nous nous engager totalement en renonçant à notre relation de couple ? Allons-nous renoncer à l'autre personne pour préserver notre couple ? Tous ces choix sont possibles, car, si nous n'avons pas de pouvoir sur nos sentiments, nous pouvons choisir la relation que nous voulons maintenir vivante et celle à laquelle nous voulons renoncer !

C'est la problématique de ce choix difficile, souvent frustrant et plein de contradictions, portant sur la possibilité de s'engager dans une nouvelle relation, qui fait que certains conjoints essaient de vivre deux relations en même temps. Cela s'appelait autrefois un adultère ou une bigamie sociale, des rencontres discontinues ou aléatoires avec un nouveau partenaire qui se juxtaposent à une relation de couple continue et structurée (du moins en apparence) avec le conjoint. Je ne me place pas sur le plan de la morale, mais sur celui des relations humaines pour continuer d'affirmer que le surgissement en chacun d'un nouvel amour est toujours un risque (et pas nécessairement une menace) dans une relation de couple et que celui ou celle qui aura à vivre cette épreuve devra y faire face en tenant compte de beaucoup d'éléments liés à son histoire, à l'histoire de son couple et à sa maturité affective.

Une autre épreuve inévitable dans la vie d'un couple, c'est la routine qui peut s'installer. On peut l'éviter en réinventant les gestes du quotidien, en rompant avec les habitudes, en parlant de ses fantasmes, en stimulant les ressources de l'autre et en osant trouver la bonne distance entre l'intimité commune et l'intimité personnelle.

On me parle souvent des compromis qu'il faut faire dans un couple. Je voudrais rappeler que le compromis n'est jamais très loin de la compromission. Je ne suis pas pour le compromis, mais plutôt pour la reconnaissance des différences et la prise de responsabilité de chacun vis-à-vis de ses positions. Je considère que chaque protagoniste d'une relation de couple devra assumer les conséquences de ses choix intrapersonnels (pour lui-même) ou interpersonnels (en fonction de l'autre), en se demandant chaque fois si ceux-ci consolident ou fragilisent sa relation.

Voici quelques règles et outils d'hygiène relationnelle, faisant référence à la Méthode ESPERE®, qui peuvent aider un couple à traverser ces épreuves, à se fortifier et à se donner les moyens d'aller plus loin :

- Il y a toujours trois entités dans un échange : l'autre, soi et la relation.
- Toute relation a deux bouts, comme une écharpe, et chacun est responsable de son bout.
- Il vaut mieux parler de soi que de l'autre.
- Il est important d'entendre le ressenti, le vécu de chacun vis-à-vis de tel ou tel événement, sans rester focalisé sur les circonstances.
- Il est préférable de ne pas se laisser définir par l'autre.
- Il est souhaitable d'oser restituer à l'autre les messages négatifs qu'il peut déposer en nous, en lui confirmant que ces messages lui appartiennent.
- Il est possible de démystifier le mythe de la réciprocité : ce que l'un peut faire pour l'autre, l'autre ne le fera pas nécessairement pour lui.
- Il vaut mieux utiliser la communication directe (et non la communication indirecte, en parlant des autres et non de soi-même).
- Il est important de veiller, dans un échange avec l'autre, à ne pas rester au niveau des faits, mais plutôt à essayer d'entendre le ressenti, et surtout les réactions différentes de chacun par rapport au même événement.

Le plus beau cadeau qu'un couple puisse se faire, c'est de permettre à chacun de se respecter et de s'aimer. À tout moment de l'évolution du couple, il appartiendra à chacun de proposer à l'autre de réinventer la relation quand celle-ci aura tendance à se fossiliser ou à se déliter. Il ne suffira pas de dénoncer la relation que l'autre nous propose si elle n'est pas bonne ou suffisamment respectueuse de ce que nous sommes, il faudra surtout énoncer les bases (attentes, apports, zones d'intolérance) d'une nouvelle relation possible en proposant des points d'accord et un projet de vie commun, qu'il faudra repréciser, remodeler et revivifier au quotidien.

Comme j'ai tenté de le montrer tout au long de ce texte, l'amour, c'est-à-dire la présence chez chacun d'un sentiment amoureux, et l'accord harmonieux de leurs sentiments auront à se confronter aux stimulations ou aux manques d'une relation qui devra sans cesse se réinventer, à la fois dans son intimité et dans sa vie sociale.

La part sombre de l'amour

L'amour en ses débuts scintille d'une lumière éblouissante. Il vibre d'un rayonnement énergétique et créatif qui nous transporte. Quand il se découvre en réciprocité, il transfigure, magnifie ceux qui l'éprouvent et le partagent.

Mais partout où il y a de la lumière, il y a de l'ombre, et l'amour n'échappe pas à cette règle.

Non que l'amour soit porteur de zones obscures en lui-même, mais sa propre vitalité révèle, met au jour des conduites, des comportements, des aspects de notre personnalité qui, jusqu'alors, se trouvaient en jachère ou restaient endormis.

L'amour, en ce sens, peut être un puissant révélateur de nos potentialités, autant celles qui nous paraissent positives que celles qui vont se révéler plus négatives.

« Avant de la rencontrer, je ne savais pas que je pouvais écrire des poèmes, dit Gilbert. J'avais une image très négative de mes ressources en ce domaine, ma scolarité avait été désastreuse, j'avais un mal fou, devant une page blanche, à écrire quelque chose, mais un soir j'y suis allé avec mon cœur. Aujourd'hui, je sais qu'elle a, dans un coffret de bois, des dizaines de mes textes. Un jour, une de mes filles m'a dit : "Je ne savais pas que tu étais poète, papa. Maman nous a lu un de tes poèmes..." Elle ajouta en riant : "... du temps où tu étais amoureux d'elle ! C'est super, je vais demander à mon copain de s'y mettre." »

« Je n'avais aucune confiance en moi, mais quand mon mari s'est retrouvé dans le coma après un accident, je suis devenue une tigresse, j'ai campé à l'hôpital, dit Anne-Sophie. Je suis consciente d'avoir été parfois violente avec les médecins qui voulaient le débrancher. J'ai mobilisé des journaux et lancé une campagne pour que l'on respecte le désir de ceux qui veulent garder leurs proches en vie et qui se sentent blessés par un système trop expéditif. Trois ans après, il était sur pied, et l'année suivante, nous avons eu notre premier enfant. Je ne sais encore ce qui a été réveillé chez moi pour me donner autant de force, de courage et surtout de ténacité. »

Il arrive aussi que des aspects plus négatifs de notre personnalité puissent apparaître et produire des effets catastrophiques sur nos sentiments et ceux de l'autre. Ainsi, la jalousie, le désir de possessivité, le besoin de contrôle et même l'envie de s'approprier l'autre peuvent se réveiller chez l'un des partenaires et commencer à polluer, à tarauder la relation, au point de risquer de la blesser à jamais. À l'inverse, le désir de se distancier ou de faire fuir celui ou celle qu'on désire pourtant proche, tout proche, peut avoir le même effet.

Parfois, ce sont des traits de caractère, des conduites totalement imprévisibles qui émergent et s'imposent dans la relation, au point de la maltraiter et de l'enfermer dans une succession de conflits et de malentendus qui vont meurtrir et désespérer chacun des protagonistes.

« Je ne supportais pas qu'elle me coupe la parole, dit Albert. Quand je parlais avec des amis, elle intervenait, et comme ce qu'elle disait était souvent passionnant, ceux qui l'écoutaient se détournaient de moi, comme si je n'existais plus. Alors je me fermais, mâchoire serrée, recroquevillé sur moi-même, sans pouvoir parler. Je devenais un bloc de silence inaccessible. Jusqu'alors, j'étais considéré comme quelqu'un de sociable, d'ouvert et même de spirituel, inventant des jeux de mots qui faisaient rire les autres, mais là, je devenais sinistre. Quelques mois seulement après notre mariage, j'avais perdu ma tranquillité en sa présence. J'en étais arrivé à percevoir la femme que j'aimais comme dangereuse pour moi. Je me sentais persécuté, avec bien sûr tout au fond de moi le désir de la persécuter en retour. Ce comportement "paranoïde" n'a pu disparaître qu'avec une longue thérapie, sur laquelle je ne vais pas m'étendre mais qui m'a permis de comprendre le lien subtil et puissant qu'il y avait entre ma femme et ma sœur aînée, qui m'avait persécuté durant toute mon enfance. »

D'autres fois, il s'agit, chez l'un des partenaires, d'une inquiétude, d'une angoisse, qui va se polariser sur un point tel que l'argent, la recherche d'un nouveau logement, l'éducation d'un enfant, ou encore des croyances religieuses.

« Il y a eu entre nous, dès le départ, un conflit qui ne s'est jamais apaisé, dit André. Je trouvais qu'elle dépensait trop, et surtout inutilement, mais comme je ne voulais pas paraître radin, je ne disais rien et ne lui faisais aucun reproche direct. Pourtant, toute la journée, je ruminais dans ma tête des commentaires acerbes ou éducatifs dans lesquels je tentais de lui expliquer les conséquences fâcheuses de son comportement dépensier, ou de lui apprendre comment gérer l'argent du ménage… J'ai mis du temps à comprendre que cette dimension financière avait un effet sur ma sexualité. Mon désir s'est délité, alors que le sien demeurait très vivace. Notre vie sexuelle s'est appauvrie au point de disparaître, en relation directe avec le rythme de ses dépenses. Plus elle dépensait, moins j'avais de désir pour elle. Ce que je vais dire est horrible, mais j'avais le sentiment de vivre avec une prostituée et cela me déchirait. Cette image était intolérable et je n'arrivais pas à m'en débarrasser. Aujourd'hui, plusieurs années après notre divorce, je n'arrive pas encore à accepter ce qui s'est passé. Comment une relation qui fut au départ si merveilleuse a-t-elle pu se dégrader, se pervertir à ce point ? »

Il arrive aussi parfois, et c'est l'un des paradoxes de l'amour, qu'il serve de révélateur à des traits de caractères marqués, à la limite d'une pathologie dormante, qui vont progressivement se réveiller (comme stimulés par le partenaire) et contaminer tout l'espace d'une relation. La proximité physique (et parfois l'envahissement), la cohabitation et l'occupation déséquilibrée (par l'un) d'un même territoire, une trop grande collusion entre l'intimité commune partagée et l'intimité personnelle et réservée, ainsi que le besoin de se sentir accepté inconditionnellement peuvent faire remonter à la surface ces traits de caractère qui vont s'affirmer et se majorer de plus en plus avec les années, en présence de l'être aimé.

« Mon mari, dès le début de notre relation, prétendait que c'est par amour qu'il me demandait de lui rendre compte de ce que je faisais de mes journées, dit Guylaine. Sa façon de me contrôler était subtile, pleine de charme, mais elle devint très rapidement insupportable. Il en était arrivé à noter le kilométrage de ma voiture, à cocher mes dépenses dans le relevé bancaire, à téléphoner chez mes amies pour leur demander à quelle heure j'étais arrivée et partie. Quand j'ai tenté de mettre de la distance entre lui et moi, de revendiquer mon autonomie d'adulte, ce fut encore plus terrible. J'ai découvert ce que j'avais voulu me cacher jusque-là, que j'étais entièrement dépendante de lui financièrement, matériellement et aussi relationnellement. En quelques années, je n'avais plus de relations amicales. J'avais perdu de vue la plupart de mes connaissances. Il en était même arrivé à me brouiller avec mes parents. Quand j'ai fui la maison, j'ai tout perdu. Il a demandé et obtenu la garde des enfants. Je dois aujourd'hui lui verser une pension alimentaire, alors qu'il est plus que millionnaire - comme il vit à cheval sur la France et la Belgique, il doit jouer avec cette situation sur le plan fiscal et je n'arrive pas à faire la preuve de l'injustice que je vis… »

Il y a aussi tous les autosaboteurs que nous sommes capables de produire pour maltraiter une relation à laquelle nous tenons, pour déclencher justement ce que nous redoutons le plus.

« Je pratiquais avec elle un sabotage construit autour d'une stratégie simple et efficace, dit Luc. En rentrant du travail, je commençais l'échange par un reproche, une accusation, une mise en doute. Cela la faisait pleurer, alors je commençais à la rassurer, à la consoler, à la câliner, lui murmurant que ce n'était pas grave. Je me donnais le beau rôle d'être celui qui comprend, qui supporte stoïquement une femme insupportable ! Ce fut elle qui me délogea de mon système en s'affirmant, en me renvoyant à ma façon de me comporter avec elle et en me faisant découvrir quelques-uns de mes tics antirelationnels récurrents ! »

« Pendant des années, je n'ai pas compris que je maltraitais notre relation en comparant sans cesse ce que j'avais vécu avec d'autres et ce que je vivais avec lui, dit Camille. Il se fermait et me fuyait lorsque j'utilisais ses confidences quelques mois après qu'il me les avait faites pour les retourner contre lui. Je ne comprenais pas que je l'éloignais de moi, alors que mon souci principal était, au contraire, de me rapprocher de lui, de fusionner avec lui. C'est une amie qui m'a permis d'en prendre conscience et de changer: "Tu vas le perdre, m'a-t-elle dit, il ne peut que s'éloigner de toi." Elle a eu cette phrase étonnante: "Avec lui, tu utilises mal ton amour, tu le maltraites même!" »

Il arrive que l'on ne puisse s'empêcher de mettre en évidence les points négatifs d'une relation plutôt que de reconnaître et de valoriser ses points positifs.

« Ma spécialité était de toujours mettre en évidence ce que nous n'avions pas fait, pas dit, pas vécu ensemble, dit Réjean. Chacune de mes remarques contenait un reproche, une critique implicite. J'entretenais ainsi à la fois mes frustrations et mes revendications, et ses ressentiments et son amertume. Elle m'a appris à reconnaître le bon qui s'était passé entre nous, à m'appuyer dessus. Elle m'a invité à dire mon ressenti par rapport à tout ce que nous avions vécu de positif ensemble plutôt que par rapport à mes regrets! »

Nous pouvons penser que l'amour nous confirme, nous consolide et qu'il nous fait grandir de l'intérieur, et c'est souvent le cas. Mais il peut aussi nous vulnérabiliser, nous entraîner vers des comportements inadaptés, régressifs ou outranciers, et ainsi révéler des aspects de nous totalement anachroniques, déstructurants ou violents.

Le piège, c'est que celui qui aime garde espoir que son amour sera capable de faire changer l'autre, que toutes ces manifestations ne sont que provisoires, qu'elles vont s'arrêter et que l'aimé redeviendra tel qu'il l'a connu, ou a cru le connaître, dans les débuts de la relation.

« J'ai mis longtemps à saisir, à intégrer qu'une des erreurs les plus courantes chez celui qui aime est de croire que son amour sera suffisant pour changer l'autre, dit Pauline. Avec de l'amour, mon amour, les comportements ou les conduites qui me gênaient chez lui - que je croyais provisoires - allaient se dissoudre comme la saleté avec la lessive machin chose, j'en étais sûre! Je voulais me faire croire que mon aimé redeviendrait tout neuf, comme avant, comme au début! Mon Dieu que c'est difficile de comprendre cette réalité si simple, si évidente : l'autre ne peut changer qu'à partir de ses propres prises de conscience, de ses démarches à lui ! »

« J'étais persuadée que mon compagnon arrêterait de boire, que mon amour pour lui l'aiderait à lâcher prise sur sa dépendance, dit Anita. Ce fut douloureux pour moi de constater que mes sentiments ne faisaient pas le poids, que son besoin d'alcool restait prioritaire et me faisait toujours passer au second plan ! La vraie question était : est-ce que j'allais continuer à accepter de toujours passer en deuxième, de ne jamais être privilégiée ? Est-ce que j'allais subir ou me définir ? S'il ne pouvait me rejoindre, est-ce que j'allais me respecter ? Cela voulait dire partir. J'ai mis longtemps à prendre la décision. J'entretenais toujours l'espoir que mon amour serait quand même l'élément déclencheur d'un changement… chez l'autre ! »

Quand la part d'ombre de l'amour l'emporte sur sa lumière, il convient (parfois) soit de renoncer, soit de trouver la bonne distance à maintenir avec l'être aimé pour ne pas se laisser engloutir dans la grisaille ou les ténèbres.

Fidélités et infidélités possibles !

Vivre en couple dans la durée, c'est tenter d'harmoniser la cohabitation nécessaire de deux fidélités : la fidélité à soi-même et la fidélité à l'autre. Quand cette cohabitation devient tendue de l'intérieur pour l'un des protagonistes, quand un conflit intrapersonnel commence à se développer, cela peut dévitaliser subtilement la relation. Nombreux sont les hommes et les femmes qui vivent en couple ce conflit paradoxal : rester fidèle à l'autre en étant infidèle à soi-même.

Ainsi, l'aspiration à l'infidélité ou le glissement vers l'infidélité avec une tierce personne peuvent être vécus, plus ou moins consciemment, comme des échappatoires à l'infidélité ressentie envers soi-même. Il ne s'agit pas ici de cautionner le recours à l'infidélité, mais de tenter de saisir l'une de ses dynamiques les plus cachées pour mieux la comprendre. Certains tentent de distinguer l'infidélité de corps, ramenée à une transgression sexuelle avec un tiers, de l'infidélité de l'âme, plus grave, car elle met en jeu les sentiments et, au-delà, les choix de vie. L'infidélité de corps semble être la plus fréquente, la plus banale peut-être, mais elle n'est pas la moins douloureuse lorsqu'elle est découverte ou révélée.

Combien de fois ai-je entendu des hommes et des femmes affirmer ce qui peut apparaître comme une contradiction ingérable – mais qui confirmerait le point de vue de quelques-uns – que la vie de couple ne serait pas dans la nature de l'homme ! « J'aime ma femme (ou mon mari), mais je ne pouvais résister à la possibilité d'avoir une relation parallèle qui me semblait contenir la possibilité de quelque chose que je ne trouvais pas dans mon couple, et dont j'avais besoin pour pouvoir continuer à exister en me respectant ! »

C'est l'un des problèmes majeurs qui peuvent menacer une relation amoureuse, que l'un des protagonistes accepte de vivre, en parallèle ou en remplacement, une relation intime avec une autre personne.

Les termes « maîtresse », « amant », « adultère », « tromperie » habituellement utilisés me semblent insuffisants pour nommer et comprendre ce qui se passe chez l'un (celui qui transgresse son engagement) et chez l'autre (celui qui va découvrir la transgression).

Les serments énoncés au commencement, les engagements pris, les croyances et les certitudes qui semblaient autant de remparts contre l'improbable semblent parfois mal résister à l'arrivée d'une tierce personne, à la découverte d'une autre relation possible, au surgissement d'un sentiment ou d'une attirance qui va tout emporter sur son passage.

Il faut cependant distinguer l'attirance, le désir et les sentiments envers une tierce personne (sur lesquels nous n'avons pas de pouvoir) du passage à l'acte, où l'on accepte d'ouvrir un espace pour créer une relation intime, le plus souvent sexuelle, avec quelqu'un qui n'est pas notre partenaire. Sur ce point-là, précisément, nous avons un pouvoir, celui de transgresser ou non l'engagement que nous avons pris, à un moment donné de notre relation.

Beaucoup d'hommes affirment ne pas mélanger les sentiments et le désir, ils estiment qu'ils ne s'engagent pas réellement quand ils ont une relation parallèle fondée sur un partage émotionnel ou sexuel, en fait sur le plaisir partagé. Ce cloisonnement entre sentiments et désir alimente en eux, du moins chez certains, la certitude intime *qu'ils ne trompent pas leur femme ou la femme qu'ils aiment, qu'ils ne sont pas infidèles, puisqu'ils ne s'engagent pas réellement avec l'autre !* Ils n'envisagent pas de mettre fin à leur relation principale et tiennent à leur vie de couple, mais ne comprennent pas qu'ils peuvent ainsi la mettre en danger, et surtout, la blesser durablement. Ce distinguo, destiné le plus souvent à leur donner bonne conscience, est souvent utilisé pour se justifier à leurs propres yeux et à ceux de leur partenaire. Quand celle-ci découvrira la relation parallèle, ils diront *que ce n'est pas grave,* qu'elle se joue sur un plan totalement secondaire – le plan physique – et que leurs sentiments sont intacts.

Les femmes, quand elles parlent d'infidélité comme d'une possibilité plus ou moins improbable, adoptent une autre dynamique. Elles affirment lier sentiments et désir, et prétendent ne pouvoir s'engager dans une relation parallèle que si elles éprouvent des sentiments envers la tierce personne. Autrement, elles ressentiraient un conflit intime qui devrait se dénouer soit par la fin de la relation principale, soit, après un temps d'essai, par la fin de la relation extraconjugale. Les raisons invoquées peuvent être pour protéger les enfants, le partenaire ou se conformer aux normes familiales, par exemple.

Dans la réalité, toujours relative, d'aujourd'hui, il semble qu'il y ait autant d'hommes que de femmes qui soient capables de vivre des relations parallèles circonstancielles plus ou moins longues en tentant quand même de préserver leur relation principale. Cette situation suppose un cloisonnement accompagné de silences, de non-dits à l'égard de leur partenaire. Cette situation demande un minutieux travail de compartimentage entre la vie conjugale et extraconjugale pour pouvoir maintenir leur relation « principale » et aménager de l'espace et du temps pour rencontrer une ou plusieurs autres personnes. Certains m'ont affirmé qu'ils étaient en ce sens *fidèles à eux-mêmes*. « J'ai besoin à la fois de respecter mes attirances et ma vie conjugale, en veillant à ne porter aucun préjudice à personne. »

C'est le cas de Julien, marié depuis vingt-deux ans, qui se définit comme fidèle à l'engagement pris envers sa femme. Son engagement, pour lui, est de *ne pas quitter sa femme!* « Je me sens vraiment engagé vis-à-vis de mon épouse. Je sais que je ne la quitterai jamais. Et même si aujourd'hui j'ai une relation épisodique avec une autre femme, elle a su dès le départ que ma femme serait toujours ma priorité, que notre relation est fondée sur le plaisir partagé par l'un et par l'autre au cours de nos rencontres. Nous sommes des adultes et si nous sommes d'accord pour vivre ces rencontres, je ne vois pas qui sera blessé! » Il oublie, volontairement ou non, que c'est sa femme qui sera blessée si elle découvre que son mari a une autre relation. Il préfère miser sur le fait qu'elle ne le découvrira jamais.

Julien semble ignorer qu'il y a mille signes et de multiples langages *pour dire quand même ce que l'on ne veut pas dire.* Il peut croire que sa relation extraconjugale restera constante, se convaincre que son accord tacite avec sa maîtresse tiendra et qu'elle acceptera toujours d'être la tierce personne, mais cette relation vécue par à-coups, intermittente, peut se révéler trop frustrante pour elle et, avec les années, lui coûter beaucoup. Elle peut éventuellement en venir à remettre en question l'accord du début, surtout si, à l'arrière-plan de ses attentes, elle espère quand même, *avec le temps,* que son amant quittera sa femme, se libérera, pour faire de sa relation avec elle sa relation principale - et, de préférence, unique !

« Fidèle, je le suis envers moi-même et envers les deux femmes qui sont ma vie, me dit cet ami musicien avec une sincérité affirmée. Je le suis vis-à-vis des deux aspects de moi qui cohabitent dans l'homme que je suis. J'ai fait une rencontre dans laquelle j'ai beaucoup de plaisir et j'aime cela. Je me sens pourtant très attaché à ma femme. Entre elle et moi, l'important, ce n'est pas tant la recherche du plaisir sur le plan sexuel que les échanges et les partages que nous avons, et surtout notre complicité dans plusieurs domaines. »

Comme je le disais précédemment, les femmes prétendent en général avoir plus de mal que les hommes à séparer sentiments et relations physiques ou sexuelles. Elles lient étroitement le plaisir aux sentiments éprouvés. Dans les témoignages que j'ai pu recueillir, elles sont cependant nombreuses à dire le contraire.

« J'ai une relation extraconjugale depuis plus de quinze ans, dit Louise. Une relation qui est très bonne pour moi. Je m'épanouis sur ce plan avec un homme qui m'a fait découvrir le plaisir, et que pourtant je n'aime pas, car j'aime mon mari, un mari que je ne quitterai jamais. Il représente pour moi un ancrage important, je dirais même essentiel, pour ma sécurité intime. Le paradoxe, c'est que je sais que s'il découvrait mon autre relation, il serait tellement blessé qu'il pourrait me quitter. Je prends ce risque depuis quinze ans en me disant qu'il m'aimera suffisamment pour me pardonner si jamais il apprend l'existence de l'autre ! »

Ce qui me touche dans les récits que j'ai entendus, c'est la sincérité des discours, la force des convictions et des prises de position des uns et des autres, comme si chacun des protagonistes de certains couples vivait dans des univers différents qui se croisaient, se juxtaposaient à partir de repères bien précis, ce qui leur permet de cohabiter longtemps, longtemps, tant... que les repères et les balises restent en place et sont respectés! La souffrance, le déchirement et les conséquences d'une rupture surgissent quand l'un ou l'autre de ces repères s'effondre.

Il y a aussi d'autres facteurs que les infidèles ne contrôlent pas. Ils ne peuvent prévoir les réactions qu'aura leur partenaire s'il découvre l'existence de la relation parallèle, ni les prises de conscience qui peuvent en découler. De même, ils ne peuvent pas non plus contrôler les réactions de la tierce personne avec qui ils ont commencé une nouvelle relation, ni son évolution dans la relation. En eux-mêmes, ils ne peuvent pas non plus contrôler la vitalité de leur inconscient, qui peut laisser apparaître clairement des signes de leur défection et déstabiliser un équilibre pourtant bien installé.

«J'avais la certitude, dit Marianne, que si mon mari découvrait la relation intime que j'avais avec un autre homme, cela déclencherait une tempête, aussi je prenais soin d'effacer, sur mon téléphone cellulaire, tous les courriels et les SMS de mon amant. Mais un jour j'ai oublié mon téléphone à la maison. J'avais gardé un message de lui qui m'avait beaucoup fait vibrer, pensant le relire à cœur reposé... et mon mari l'a lu. Ce fut plus qu'une tempête! Il a laissé le téléphone ouvert sur le lit, a pris quelques affaires et a quitté la maison. Je ne l'ai plus revu. Il a refusé à jamais de me parler et s'est exilé au Québec. Je n'ai jamais demandé le divorce, lui non plus. C'était un homme entier. J'ai gardé en moi le meilleur de lui, m'interrogeant souvent sur cet acte manqué par lequel je m'étais dénoncée moi-même.»

«Mariée, j'ai vécu une relation avec un autre homme pendant dix ans, dit Viviane. Au départ, c'était clair. Nous voulions la même chose tous les deux, une relation de rencontres. Il m'avait dit: "J'aime ma femme, je ne la quitterai jamais, c'est la mère de mes enfants. Ce que je vis avec toi est de l'ordre du miracle, et si ça te rejoint nous pouvons poursuivre." Comme cela correspondait à ce que je voulais vivre à ce moment-là, j'ai accepté, sans savoir que j'allais évoluer dans cette relation, prendre de l'assurance, m'affirmer. Sans pressentir qu'un jour cette relation allait devenir si importante pour moi que je ne pourrais plus me contenter de quelques rencontres toujours trop rapides, de projets incertains parce que soumis aux désirs de sa femme ou à ses projets familiaux. Un dimanche soir, justement après une fin de semaine prévue avec lui mais reportée à sa demande, j'ai, de façon impulsive, écrit à sa femme. Je lui ai écrit que j'aimais son mari et qu'il m'aimait. Comment avais-je pu écrire cela sans en mesurer toutes les conséquences, en transgressant ce que j'avais appris par ailleurs - qu'il ne faut jamais mettre dans une relation ce qui appartient à une autre ? Ce passage à l'acte, qui m'étonne encore de ma part, a déclenché un véritable séisme chez lui. Il s'est senti trahi, m'a quittée brutalement et ne m'a plus jamais adressé la parole. C'est ainsi que j'ai découvert qu'il y avait un contrat entre nous. Un contrat implicite dans lequel j'avais dû m'engager, sans le savoir clairement : je ne devais jamais apparaître dans sa sphère conjugale. Comme j'avais rompu les termes de ce contrat, je l'avais perdu à jamais. Avais-je réellement envie de vivre avec lui ? Est-ce que je voulais que notre relation soit son engagement principal ? Peut-être que je voulais inconsciemment mettre fin à une situation trop frustrante, et le rendre responsable de notre rupture, alors que c'était moi qui l'avais déclenchée... Je ne me suis plus jamais engagée dans une relation où je serais la tierce personne. »

Les chemins de l'inconscient peuvent nous guider pour réaliser des aspirations secrètes qui ne sont pas toujours celles de nos attentes conscientes. L'inconscient a une vie propre qui semble nous échapper !

« J'étais d'une prudence extrême par rapport à la relation que j'entretenais avec ma maîtresse depuis deux ans, dit Carl. Ma femme ne se doutait de rien. Elle croyait en moi. Quelques petits signes, cependant, auraient dû l'alerter. *J'avais changé de modèles et de marques de sous-vêtements, et je portais un nouveau parfum. Mon travail nécessitait plus d'absences. Je devais impérativement, pour ma carrière, participer à des séminaires de formation*, ce qui bien sûr me permettait de vivre quelques week-ends en amoureux avec ma maîtresse. Et puis un jour, j'ai oublié dans ma voiture une enveloppe avec une lettre très explicite venant d'elle. Il n'y a pas de hasard. C'est bien moi qui ai prêté ma voiture à ma femme, et c'est bien elle qui a découvert la lettre en cherchant quelque chose dans la boîte à gants ! Plus tard, j'ai compris qu'au fond de moi j'avais voulu mettre fin à ma relation conjugale, mais qu'il était important à mes yeux que ce soit ma femme qui demande le divorce. Aussi curieux que cela puisse paraître, j'avais ainsi une meilleure image de moi ! Je n'ai pas épousé pour autant ma maîtresse, nous nous sommes quittés quelques mois après. Aujourd'hui, je n'arrive pas encore à me fixer. J'ai des coups de cœur, des mini-passions, je navigue à vue d'une rencontre à l'autre sans pouvoir m'engager. »

J'ai mis du temps avant de comprendre la portée de la première phrase du témoignage de Marc : « Ma relation extraconjugale était en quelque sorte le garant de ma relation de couple. Je croyais que, si je perdais cette relation, mon couple s'effondrerait. Cette relation assez paisible, peu envahissante – on se voyait une fois par mois –, était cependant un fort ancrage qui me consolidait. Elle a duré plus de cinquante ans sans que ma femme n'en sache jamais rien, j'en ai la certitude ! Après sa mort, cette relation s'est poursuivie encore quelques mois, puis cette femme est morte à son tour. Je suis seul, très seul et je ne crois pas qu'un nouvel amour prendra le risque de venir me déloger de ma solitude ! »

« Mon mari n'est pas aveugle, dit Claudette, mais il a une confiance inconditionnelle en moi. C'est sur cette confiance que je m'appuie, car, aussi immoral que cela puisse paraître, sa confiance me rassure et me permet d'avoir une relation avec un autre homme. Et cela, sans aucun état d'âme, car tout se passe comme si chacun de ces deux hommes, essentiels à ma vie, rencontrait un aspect de moi que l'autre ne connaît pas. En fait, ils me réunifient, ils me donnent une complétude que je n'avais jamais connue jusqu'alors. Je rêve parfois de pouvoir en parler à mon mari pour parvenir à un accord intérieur qui serait moins bancal que celui dans lequel je vis actuellement ! Il me semble que je serais enfin totalement réalisée, si ce mot peut avoir un sens… »

Il existe quand même, sur quelques-uns des territoires de la vie conjugale, des couples à trois qui sont durables. J'en connais quelques-uns, des Jules, des Jim et des Catherine qui, contrairement aux trois héros du film de Truffaut, ont poursuivi durant plusieurs années leurs relations sans se détruire. Des couples qui ont su comprendre et accepter que, pour vivre à trois, il faut faire se rencontrer trois relations : A et B, B et C, et C et A. Trois relations de partages, d'échanges et d'ouverture dans les sentiments, et des désirs réciproques qui pourront se mêler et croître ensemble.

Je ne présente pas ici un modèle, mais bien un témoignage qui, même s'il révèle une relation rare, montre à quel point les conditionnements et les pressions morales de la société peuvent être transcendés. « J'étais mariée depuis quatorze ans et nous avions trois enfants quand j'ai rencontré une femme dont j'ai été instantanément, passionnément amoureuse, dit Julie. Très vite, nous avons eu une relation intime et j'en ai parlé à mon mari, lui disant que je ne pouvais pas vivre sans elle et que, quoi qu'il arrive, je souhaitais partager la vie de cette femme. Je l'ai senti très ému quand il m'a dit : "Je te remercie de ta confiance. J'ai besoin d'écouter en moi l'impact de ce que tu m'apprends, peux-tu me laisser quelques jours avant de prendre une décision ?" Quelques jours plus tard, il m'a écrit une lettre qui, pour l'essentiel, disait ceci : "Tu es importante et essentielle pour moi. Je ne veux pas te perdre. Si ce que tu vis avec ton amie est aussi important et essentiel pour toi, je peux me mettre en retrait, sans faire aucune irruption dans ton intimité. La maison est grande. Il y a suffisamment de place pour que vous ayez une chambre pour vous deux. Je te laisse le soin de parler aux enfants de cette nouvelle relation, moi, je parlerai de la mienne avec toi. Si nous traversons les premiers mois sans trop de souffrance ou de malentendus, nous pourrons voir comment emménager plus durablement notre existence." Jamais je n'aurais cru que cela soit possible. Trois ans après nous avions une relation à trois. C'est mon amie qui l'a proposée et je l'ai acceptée comme une évidence. Aujourd'hui, les enfants sont partis de la maison. Nous continuons à vivre à trois et, quand nous sommes ensemble, tout proches les uns des autres, réunis par un plaisir fait de confiance, d'abandon et de gratitude mutuelle, il y a de l'amour bien au-delà du toit dans cette maison ! »

Il faut compter aussi avec l'irruption de l'imprévisible, qui met au jour les secrets les mieux gardés.

« C'est ma meilleure amie qui m'a trahie, dit Valérie. Elle était amoureuse de mon mari mais avait, semble-t-il, accepté, dans un premier temps, notre mariage comme immuable. Lorsqu'elle m'a vue, à la sortie d'un cinéma, embrassant passionnément un autre homme, une tierce personne, comme vous dites, elle a écrit une lettre anonyme à mon mari dans laquelle elle lui a donné l'adresse de notre nid d'amour. Ce fut terrible. Toute ma vie conjugale et extraconjugale s'effondra. Mon mari demanda le divorce et l'obtint, sans pour autant supporter toutes les conséquences de sa décision, et fit une dépression nerveuse. L'amie qui avait été à l'origine de ce cataclysme tenta de le consoler et s'installa avec lui. Ils en sont là pour l'instant. Je ne pense pas qu'ils soient heureux l'un et l'autre. J'ai reconstruit, des années plus tard, une autre vie amoureuse dans laquelle je me garde bien d'avoir des relations parallèles. »

Les scénarios de vie dont témoignent hommes et femmes, en particulier dans les groupes de travail sur le mariage, et qui confirment comment se croisent et se décroisent quelques-uns des parcours labyrinthiques autour de la fidélité ou de l'infidélité sont infinis. Ces scénarios se construisent et se déconstruisent à travers des cheminements, des questionnements et aussi des ajustements qui accompagnent à la fois l'évolution des sentiments chez l'un ou l'autre, et qui tentent de rejoindre aussi leurs besoins profonds – à ne pas confondre avec leurs désirs.

Il y a encore à dire sur l'irruption possible d'une tierce personne dans un couple déjà constitué

J'appelle tierce personne celle avec qui quelqu'un, qui est en couple, s'engage dans une relation intime parallèle à sa relation amoureuse, que j'appelle relation principale. C'est l'une des menaces qui guette toute relation amoureuse. L'un des partenaires peut découvrir que l'autre a commencé (dans un premier temps de façon cachée), en parallèle avec celle qu'il vit au grand jour avec lui, une autre relation intime, qu'il s'est autorisé à vivre une autre rencontre, un autre amour, une autre relation.

Cela arrive, dit-on, plus souvent aux hommes qu'aux femmes. Cependant, un sondage récent affirme que beaucoup de femmes mariées ont des relations parallèles durables! Ainsi, malgré les croyances contraires, les femmes d'aujourd'hui hésitent moins que celles qui les ont précédées à explorer les possibles d'une relation parallèle.

Telle personne mariée, engagée dans une relation conjugale satisfaisante, se découvre soudain amoureuse, attirée par une autre personne, avec laquelle elle s'abandonne à une relation clandestine que l'on appelle extraconjugale.

Mon propos ne se situe pas sur le plan de la morale. Il appartient à chacun de faire des choix cohérents ou non avec ses engagements de vie, en accord ou non avec ses valeurs. Je vais plutôt tenter d'aborder cette question sous l'angle du respect de chacun des protagonistes de ces relations.

Ces relations parallèles sont le plus souvent clandestines, c'est-à-dire vécues sans que le partenaire principal soit au courant. Elles peuvent durer des années, mais se construisent souvent sur un leurre, surtout si l'homme ou la femme qui accepte d'être la tierce personne ignore que son nouvel amour est toujours lié à son partenaire, qu'il n'a pas l'intention de le quitter. Cet homme (le plus souvent) ou cette femme peut développer une double sincérité et dire à la tierce personne: «Je t'aime et j'ai envie de vivre avec toi» tout en se disant: «Je n'aime peut-être plus mon (ou ma) partenaire, mais je ne peux pas le (la) quitter, je ne peux lui faire vivre cela.» Il y a aussi le risque d'une escroquerie relationnelle si on laisse croire à la tierce personne que la relation principale n'est que du compagnonnage affectif dans lequel les relations sexuelles sont absentes depuis longtemps, qu'on attend que les enfants soient plus grands pour prendre une décision. Les alibis sont nombreux pour rester dans une situation qu'on ne souhaite pas réellement modifier.

Au-delà de l'attirance et du souhait d'un partage amoureux et sensuel qui débouchera le plus souvent sur une relation sexuelle, il me paraît important, pour chacun des partenaires qui se lancent dans une nouvelle relation parallèle, d'apprendre à se positionner le plus clairement possible face à l'autre, de lui expliquer que la relation qu'il propose est fondée sur des rencontres et qu'elle sera limitée dans le temps et l'espace. La compréhension, par chacun des protagonistes, que cette relation n'a d'existence et de viabilité que dans le plaisir et le bien-être qu'ils partagent, lorsqu'ils se voient, d'inventer et de vivre des moments privilégiés, mais toujours entre parenthèses par rapport à des engagements de vie qui sont ailleurs. Si chacun des partenaires accepte cette situation, il y aura plus de respect et moins d'ambivalence et de souffrance de part et d'autre. Ensuite, il faudra apprendre à accepter l'évolution d'une telle relation. Soit la relation parallèle reste parallèle, sans autre débouché que des rencontres parcellarisées, soit elle devient principale, et là, le protagoniste engagé ailleurs devra prendre la décision d'une rupture ou d'un désengagement d'avec son partenaire de vie. Il peut aussi y avoir une rupture avec la tierce personne.

Dans les débuts d'une relation parallèle, le bouleversement lié à la nouvelle rencontre stimule l'image que l'on a de soi, gratifie un narcissisme souvent à l'affût. L'ivresse intense des débuts et le plaisir de braver les interdits, de se découvrir aimé ou aimant, de réveiller et d'accéder à des émotions et à des ressources nouvelles peuvent être enivrants. Mais ensuite la routine, les malaises, la culpabilité liée aux mensonges ou aux non-dits risquent de s'installer quand les prétextes avancés pour justifier les absences deviennent de moins en moins crédibles, de plus en plus fragiles ou de plus en plus difficiles à trouver. La bulle d'intimité secrète qui pouvait magnifier le lien fragile de la nouvelle relation finit par angoisser et par charger les rencontres extraconjugales d'un poids qui diminue le plaisir qu'ont les amants à se voir. La contrainte d'une vigilance de tous les instants peut devenir oppressive et pesante, des frustrations s'accumulent, des tensions surgissent - certaines personnes peuvent avoir du plaisir à jongler avec tous ces obstacles, et même trouver que cela pimente leur vie !

Certaines relations parallèles survivent longtemps, s'installent dans des habitudes et des pratiques qui, même si elles se vivent à la sauvette, semblent leur apporter une bouffée d'oxygène. Elles peuvent alimenter un rêve qui en sécurise certains et leur donne le sentiment d'exister. D'autres relations parallèles débouchent sur une remise en cause de la relation principale, qui peut se défaire ou se reconstruire sur de nouvelles bases. Elles peuvent aussi s'interrompre ou se restructurer dans un nouveau couple. D'autres, et c'est, semble-t-il, la majorité, s'épuisent dans la recherche de rencontres satisfaisantes qui s'appauvrissent avec le temps et ne génèrent plus que de l'amertume et des ressentiments chez la tierce personne, qui découvre qu'elle ne sera pas choisie de façon permanente, et qui reste souvent dans l'attente d'un appel ou d'une excuse de l'autre pour se désister.

Il faut aussi parler de la personne qui partage un territoire, une vie familiale à temps plein avec un partenaire infidèle. Si ses antennes sont sensibles, si son propre amour ne l'aveugle pas, si sa peur d'être abandonnée ne fait pas écran, il est vraisemblable qu'elle comprendra qu'une bonne part de l'affection, de la sensualité ou de la disponibilité de celui-ci s'épanche... ailleurs. Elle aura alors à se situer, en se respectant, à mettre en mots ses sentiments pour clarifier son avenir, et à inviter son partenaire à faire de même.

Certaines relations parallèles ont une fonction cachée, et en ce sens remplissent bien leur rôle, celui de remobiliser, de réveiller, de secouer un couple au bord de la paralysie ou du coma pour le redynamiser et le relancer dans la vie. Mais il existe des moyens moins risqués pour donner à un couple la possibilité de s'inventer au quotidien, de se renouveler et de se construire dans la durée.

Chacun doit trouver le chemin qui sera le sien, sans oublier cependant que toute relation parallèle risque de blesser, de mettre en danger la relation principale et de briser le lien qui unit deux êtres qui s'aiment ou qui se sont aimés.

De quelques errances en amour

Sur les chemins labyrinthiques de l'amour, on fait parfois de curieuses rencontres. On découvre des sentiments, on vit des émois qui nous dévoilent des aspects de nous totalement inattendus. On expérimente aussi de curieuses mutations qui nous laissent, impuissants ou révoltés, au bord d'un gouffre d'incertitudes et de doutes.

Ainsi, une interrogation importante qui se traduira par une errance sans fin, quand on vit en couple, n'est pas tant de savoir si on est encore aimé, mais comment l'autre nous aime. De quelle façon témoigne-t-il de son amour ? Nous l'impose-t-il ou nous le refuse-t-il parfois ? A-t-il l'impression que nous accueillons ou maltraitons son amour ? Ainsi, pour certains, aimer signifiera s'inquiéter, et donc déposer cette inquiétude sur l'autre, lui demander de les rassurer pour faire disparaître leur propre angoisse ! Si l'autre est touché, ébranlé par leur inquiétude, c'est bien la preuve qu'il les aime ! Ainsi, l'amour de l'autre sera (fictivement) alimenté par toutes ces angoisses pour qu'il leur donne la confirmation qu'il n'aime qu'eux ! Dans quelques cas extrêmes, la relation sera nourrie, se gargarisera des offenses et des frustrations de celui dont on vérifie ainsi la solidité des sentiments, comme si on lui disait : « M'aimes-tu suffisamment pour résister au mal que je te fais et aux souffrances que je t'impose ? »

Une des crises les plus imprévisibles que peut vivre un couple, qui chaque fois surprend et désespère les intéressés, c'est lorsqu'il y a diminution de l'intensité des sentiments de l'un. Ce subtil passage, ce déplacement du sentiment d'amour se révéle, s'amorce vers quelque chose que nous appelons toujours amour mais qui n'est que de l'affection (mot ambigu), de la confiance (souvent conditionnelle), de la bienveillance (un peu tiède) ou de la gratitude (en conserve) quand celui qui aimait ne peut plus reconnaître comme de l'amour le sentiment diffus, un peu mollasson ou en charpie qui l'habite, mais qu'il continue à appeler «amour» pour les oreilles de l'autre!

Il peut parfois y avoir un véritable détournement de l'amour, avec l'expression d'une attente, voire d'exigences. On vérifie que l'autre nous aime toujours «autant qu'aux premiers jours». Nous devons avoir en permanence la confirmation de l'amour «inconditionnel» de l'autre: «M'aime-t-il exactement comme je souhaite être aimée?»; «M'aime-t-elle avec la même intensité, avec le même sentiment fort, troublant que j'avais (et que je n'ai plus) mais qu'elle devrait quand même avoir pour moi?» Ainsi, certains peuvent réclamer, exiger ou traquer chez l'autre la lumière ou l'ombre de leur propre amour! Il y a comme un déplacement des attentes envers la personne, de ce qu'elle est vers ce qu'elle devrait être, produire ou montrer!

Le passage se fait le plus souvent à l'insu de chacun, car les mêmes mots sont utilisés, mais il faut les décoder différemment et les replacer dans le cheminement de chacun: «Je t'aimais toi, mais aujourd'hui ce que j'aime, ce à quoi je tiens le plus, c'est au témoignage de ton amour.» La nouvelle dynamique relationnelle pourrait s'énoncer ainsi: «Ce n'est plus toi qui m'intéresses, mais les signes qui viennent de toi. J'attends, je réclame des marques d'attention, d'intérêt, des témoignages qui devraient m'apporter la preuve que tu m'aimes, et donc que j'ai raison de rester avec toi et de continuer à aimer ton amour!»

Celui qui aime et qui prend conscience d'un changement dans les sentiments de son partenaire est déstabilisé. S'il l'aime encore, et même s'il ne se sent plus aimé pour lui-même mais pour les preuves d'amour qu'il doit produire, il voudra rester dans la relation dans l'espoir d'un rééquilibre possible, d'un retour de l'amour initial. Ce décalage entre un sentiment qui s'est déplacé chez l'un et qui s'est conforté chez l'autre va le plus souvent s'accentuer et créer des tensions, déboucher sur des malentendus et des souffrances.

«Combien de fois ai-je entendu à travers les *je t'aime* qu'il me jetait à la tête que nous ne parlions plus la même langue, que nous étions devenus des étrangers, si loin l'un de l'autre?» dit Roxane.

Quelquefois, cette dérive se joue sur un plan plus narcissique.

«Il croyait que je l'aimais, mais en fait j'aimais l'amour qu'il avait pour moi, dit Francine. Un amour dont je ne pouvais plus me passer, car il nourrissait en fait l'amour que j'avais pour moi-même. Depuis que je le connaissais, je m'aimais encore plus!»

Cela vous paraît peut-être, à vous, lecteur, un peu labyrinthique, voire masturbatoire, mais vous seriez surpris d'entendre ce qui se découvre et se révèle sur l'amour en thérapie! Bien sûr, tout cela n'est pas énoncé avec autant de clarté et peut, au contraire, être masqué par de nombreuses excuses: «Si je vérifie sans arrêt si tu m'aimes, c'est parce que je t'aime, moi! C'est bien la preuve que tu es importante pour moi…»

La Rochefoucauld a tenté de nous prévenir, sans pour autant nous dire la suite de l'aventure amoureuse. Il écrivait: «Dans les premières passions, les femmes aiment l'amant et dans les autres, elles aiment l'amour.» Nous pourrions ajouter qu'elles aiment l'amour de leurs amants, sans préciser s'il s'agit des mêmes. Ainsi, dans certaines relations amoureuses, des éléments peuvent mettre à dure épreuve, d'une part, l'amour de la personne et, d'autre part, l'amour de l'amour!

Des surenchères relationnelles peuvent surgir. On va jouer à celui qui aime le plus, le plus fort, avec le plus d'abandon, d'abnégation ou de sincérité… Tout cela risque non pas de tuer l'amour, mais de le diluer suffisamment pour transformer une relation amoureuse en relation de compagnonnage plus ou moins paisible, de cohabitation irriguée de tensions feutrées, ou agitée, polluée de conflits ou de problèmes récurrents, eux-mêmes masqués le plus souvent par différents aspects matériels du quotidien.

Tentons de rester attentifs à ce qui nous émeut, à ce qui nous donne envie de poursuivre l'aventure qui nous emporte encore vers l'autre. Qu'importe le carburant ou ce qui alimente le feu, restons vigilants pour maintenir nos sentiments et ceux de l'autre présents et vivaces.

On ne saurait redire que toute relation amoureuse est une aventure pleine de risques, y compris celui de découvrir qu'il est possible d'être heureux en renonçant à quelques-uns de nos mécanismes d'autosabotage préférés.

L'émerveillance

L' « émerveillance », ce mot que j'ai inventé, me sert à caractériser les moments heureux en amour. Et ils sont nombreux, du moins dans les débuts. L'émerveillance est une qualité particulière de l'émerveillement. C'est un dépassement de notre capacité à nous émerveiller individuellement, cette sensation personnelle exceptionnelle qui nous transporte, qui nous illumine dans certaines situations, quand elle est accompagnée par l'émerveillement de l'être aimé. Elle résulte d'une alchimie particulière produite par le rapprochement, par l'accord de deux émerveillements éprouvés au même instant par deux êtres qui s'aiment. Cette combinaison simultanée, qui devient le creuset d'un état de réceptivité exceptionnelle, donne à tous nos sens une sensibilité et une acuité particulière, une ampleur qui nous magnifie.

L'émerveillance devient alors la sève même de l'amour. Elle le dynamise, le conforte, lui donne une force qui lui permet d'affronter doutes et inquiétudes, mais surtout qui insuffle, à chaque rapprochement, à chaque caresse, à chaque étreinte, une qualité d'être qui n'existe qu'entre deux êtres amoureux. Dans ces instants magiques où deux amants vibrent à l'unisson, il y a émergence d'un état de grâce indicible qui habite les pensées et les corps. Dans ces instants, un souffle, une respiration les porte l'un vers l'autre et les maintient unis par leurs pensées, leurs émotions et leurs désirs.

C'est l'émerveillance qui transforme la communication verbale, corporelle ou infraverbale en communion, dans le sens où chaque mot, chaque geste, chaque intention, chaque murmure ou regard est reçu, accueilli, amplifié et surtout accordé à ceux de l'autre.

L'émerveillance change le goût des choses que nous pensions bien connaître, elle modifie la couleur du ciel, celle des jours et des nuits, affûte notre ouïe, agrandit notre regard, prolonge nos sensations et les fait vibrer longuement.

C'est toujours un moment privilégié, pour ceux qui en sont témoins, de voir deux êtres qui s'aiment être habités d'émerveillance et flotter au-dessus du réel, le rendant plus beau, plus lumineux, le transcendant, en quelque sorte.

Ces moments rares et précieux constituent et renforcent la trame d'une relation de couple en gestation. Ils sont engrangés dans les mémoires d'un « nous » pour ressurgir plus tard en souvenirs heureux.

La désolance

La « désolance », je l'ai compris à travers plusieurs témoignages, est un état de désolation qui touche à l'intime de soi profondément blessé, à quelque chose qui a été détruit et qui sera perdu à jamais, mais dont le souvenir reste vivace et intense.

J'ai entendu ce mot pour la première fois dans la bouche d'Éric, qui me parlait de ce qu'il a ressenti quand il a découvert que sa femme, la mère de ses deux enfants, allait le quitter : « Elle avait dix-huit ans et était vierge quand je l'ai épousée. Après huit ans de mariage, elle m'a annoncé calmement qu'elle partait avec les enfants, me révélant d'une voix douce qu'elle aimait une femme ! Je porte, plus de trente ans après, cette désolance en moi. Elle a irrigué toutes les relations que j'ai eues par la suite avec des femmes. Elle a créé en moi un climat d'insécurité et, au plus profond de mes doutes, un sentiment d'impuissance. Elle avait découvert l'amour physique, l'amour tout court, avec une femme avant de me connaître. Le jour où elle m'a quitté, elle m'a confié : "Avec toi, en t'épousant, en ayant deux enfants, j'ai tenté de faire la preuve que j'étais une femme normale, mais ma nature réelle m'a rattrapée. D'ailleurs, tu le sais bien, ça ne marchait pas trop entre nous sur le plan sexuel. J'avais toujours peur de faire pipi, je n'arrivais pas à m'abandonner." Depuis, murmure encore cet homme, je suis en désolance et je ne crois pas qu'il y ait de deuil possible pour ce que je vis ! »

Combien de mystères faut-il mettre au jour dans une relation de couple avant de se rencontrer vraiment ? Certains peuvent vouloir vérifier ou nier leur orientation sexuelle, par exemple.

« Mon mari m'avait demandée en mariage très vite, quelques semaines à peine après notre première rencontre, dit Lina. En fait, il ne m'avait pas demandée en mariage, il m'avait dit: "Veux-tu être la mère de mes enfants?" À l'époque, ni ce qualificatif ni ce possessif ne m'avaient étonnée, mais c'est un peu plus tard que la phrase a pris tout son sens. Pour résumer en quelques mots ce qui fut un drame pour moi, j'ai découvert l'homosexualité de mon mari quand mon fils, notre fils, eut treize ans. Cela a renvoyé mon mari à sa première expérience homosexuelle, au même âge, quand il fut séduit par un ami de son père. Et surtout au fait qu'il s'était senti coupable d'avoir eu du plaisir, sans accepter pour autant l'étiquette d'homosexuel. Dans son milieu familial, l'homosexualité était vue comme une aberration. Il s'était, à vingt ans, précipité dans le mariage avec moi pour se prouver à lui-même qu'il n'était pas homosexuel! Et voilà que des décennies plus tard, ses pulsions se réveillaient et retrouvaient leur place en lui. Il n'y a pas de mot dans toute la langue française pour décrire la désolation, le désespoir, la détresse qui furent miennes. Il y eut pourtant des signes que je n'ai pas su décoder, que je n'ai pas voulu voir. Des signes multiples qui auraient pu me réveiller, m'alerter de quelque chose que je ne pouvais même pas nommer. Le cadeau de cette relation, c'est mon fils. Je dis aujourd'hui *mon* fils, car il est devenu très important pour moi et j'assume seule son éducation. Je ne sais si, plus tard, il sera fidèle à son père ou à moi. Je ne crois pas que l'homosexualité soit génétique, mais je ne voudrais pas que mon fils s'engage dans une relation conjugale avec des enjeux qui ne sont pas clairs pour lui. Mais y puis-je vraiment quelque chose? Je ne veux pas non plus lui transmettre mes peurs!»

Des hommes et des femmes s'interrogent longtemps sur les raisons ou les enjeux qui les ont poussés à s'engager dans une relation de couple qui se révèle être aux antipodes de leurs attentes réelles, comme si leur choix amoureux était téléguidé par des autosaboteurs bien plus puissants que l'attirance, le désir ou les sentiments.

«Je voulais fuir une mère hyperprotectrice, envahissante et trop contrôlante, dit Patrick. Je me suis totalement leurré en acceptant de me marier avec cette femme que je croyais pourtant ouverte d'esprit, et qui s'est révélée hyperrigide. J'ai passé dix ans de ma vie à me désoler tous les jours d'être sous la coupe - il n'y a pas d'autres mots - d'un dragon qui contrôlait chaque instant de ma vie, qui étouffait toutes mes velléités d'autonomie et réduisait à néant mes initiatives. Ma vie, durant cette période, fut un champ de désolation, alimentée par une profonde amertume et des frustrations refoulées. C'est mon cœur qui me sauva la vie. J'eus plusieurs malaises cardiaques à la suite de situations qui m'infantilisaient et qui provoquaient en moi des séismes émotionnels incontrôlables. Je fis sept séjours à l'hôpital. À la fin du septième, j'avais enfin pris une décision, celle de me séparer, de sauver ma peau. Aujourd'hui, ma désolation a pris un autre visage, celui de la solitude, car je ne suis pas prêt à envisager une relation de couple à temps plein tant je redoute de me laisser définir par quelqu'un d'autre ! »

« En m'annonçant son désir de rompre, il m'a simplement dit, tout de même avec des larmes dans les yeux : "Je suis désolé, je suis vraiment désolé", dit Sarah. Comment pouvais-je trouver les mots pour lui dire mon désespoir ? Comment lui expliquer qu'un barrage se rompait devant moi et que j'étais emportée dans un tourbillon de ressentis confus où se mêlaient tendresse et colère, que des sentiments inconnus jusqu'alors se bousculaient et hurlaient dans tout mon corps, que chaque cellule de mon amour pour lui se tordait de douleur. Non, il n'y a pas de mots pour dire l'indicible ! »

Comme nous le voyons, la désolance a plusieurs visages. Elle n'est pas nécessairement présente dans toutes les relations amoureuses et plusieurs personnes ne la rencontreront jamais ou la tiendront à distance parce qu'elles sauront réinventer leur couple.

La peur de perdre l'être aimé

La peur de perdre l'être aimé, et surtout son amour, est fréquente, et surgit plus ou moins tôt dans une relation.

La peur d'être abandonné est inscrite depuis très longtemps chez la plupart d'entre nous. Elle est à la base de notre besoin de sécurité. Cette peur, qui s'inscrit profondément dans les premiers temps de la vie, peut se réveiller dans les débuts de la rencontre amoureuse. Elle nous pousse à interroger l'autre sur son passé en un cycle de questions-réponses qui, au lieu de rassurer, va engendrer des pensées toxiques qui se transformeront automatiquement en de nouvelles questions qui ne mèneront jamais à des réponses satisfaisantes: «As-tu eu avant moi d'autres amours?»; «As-tu rencontré quelqu'un qui t'a rendu heureux?»; «As-tu eu plus de plaisir avec quelqu'un d'autre qu'avec moi?»

La peur de perdre l'être aimé peut être à l'origine d'une ambivalence qui nous fait, dans un éclair, dans un moment très bref (mais à répétition), détester celui ou celle qui la déclenche. Nous en voulons malgré nous à la personne aimée, la seule capable à cet instant de nous faire souffrir ainsi en répondant à des questions qui ne lui sont pas réellement adressées. Nous cherchons à nous rassurer en les posant, mais entretenons plutôt nos inquiétudes, comme dans un cercle vicieux. Nous nous en voulons également de réagir ainsi, oscillant donc entre les hauts et les bas de sentiments mêlés et contradictoires.

«Ce n'est qu'aujourd'hui, quinze ans après l'avoir quittée, que je comprends mieux comment j'ai fonctionné, ou plutôt dysfonctionné, dit Mattéo. Je ne pouvais pas m'empêcher d'en vouloir à celle que j'aimais si passionnément sans jamais être certain de son amour pour moi. Je ne comprenais pas le malaise qui m'habitait, pourquoi j'avais de telles pensées et gâchais ainsi un temps précieux, des moments qui auraient pu être positifs pour nous deux ! Je voulais construire une relation indestructible, alors je creusais, creusais. Je voulais des fondations si solides qu'elles pourraient résister à tous les cataclysmes que je voyais autour de moi, dans les autres couples. C'est ainsi que j'ai ouvert un champ de ruines. Quand j'en ai pris conscience il était trop tard. Je l'avais perdue. »

Certaines déviances de l'amour peuvent conduire à haïr l'être aimé sous le prétexte que nous courons le risque d'être seul à aimer. Ce qui d'ailleurs ne tarde pas, dans beaucoup de cas, car l'amour de l'autre, même s'il est présent et réel, aura du mal à résister à des vagues d'agressions puis de manifestations de tendresse. Cette alternance imprévisible entre le froid et le chaud va le molester et le blesser.

Celui ou celle qui a peur d'être abandonné ne s'interroge pas sur ses propres sentiments. Pour lui, ils sont acquis, durables et pour tout dire éternels. Ils peuvent d'ailleurs s'alimenter à la peur du manque de réciprocité.

« Plus je sentais qu'elle se détachait de moi, dit Florent, et plus je l'aimais, l'étouffant quasiment de mon amour, sans comprendre que je la perdais chaque fois un peu plus. »

Au-delà de la peur de ne plus être aimé, il y a souvent derrière un désir fou, celui d'avoir la certitude que l'amour de l'autre résistera à tout. Aux attaques du temps, à la routine, et pourquoi pas à l'irruption d'une tierce personne qui pourrait détourner ses sentiments. Cette ambivalence est épuisante. Elle fragilise la personne qui la porte et maltraite sournoisement chaque échange, dévoie chaque partage et altère profondément la relation. Puis, la peur peut se transformer en certitude quand les doutes n'ont plus besoin d'être alimentés par des signes ou des preuves. Commence alors la persécution de soi et de l'autre qu'on appelle parfois pudiquement « harcèlement moral ».

« Au début, je faisais semblant de croire qu'il y avait quelqu'un d'autre, alors je le questionnais, dit Léa. L'obligeant chaque fois, avec force détails, à me démontrer que j'étais la seule, qu'il ne pouvait aimer personne d'autre que moi. Par la suite, je me suis persuadée toute seule qu'il avait une autre femme. Je ne posais plus de questions, je savais. Cette certitude, au bout d'un moment, occupa une place immense dans notre relation. Mes propres sentiments ont progressivement disparu. J'ai cessé de l'aimer. Je n'avais plus le goût d'être avec lui, plus de désir pour lui. Je souhaitais qu'il parte, qu'il me quitte. Je voulais que ce soit lui qui me quitte pour pouvoir dire au monde entier : "N'est-ce pas que je suis une femme extraordinaire pour avoir supporté tout cela !" »

Les péripéties qu'affrontent les sentiments amoureux sont innombrables. Elles ne débouchent pas toutes sur un drame et c'est heureux. La plupart des tensions s'apaisent, se fondent dans la mouvance du quotidien, qui nivelle les aspérités, rabote les excès et fluidifie les échanges. Elles vont le plus souvent inscrire dans la vie à deux de la tolérance et de la compréhension bienveillante, et parfois même une harmonie durable.

Dits et non-dits

Il y a quelques années, durant tout un été, j'ai eu l'occasion d'échanger avec différents couples d'amis sur les dits et les non-dits dans une relation conjugale à partir d'une simple question: peut-on tout se dire dans un couple? Certains ont abordé avec passion et liberté des sujets très intimes, différents aspects de leur vie amoureuse passée et présente. D'autres ont fait preuve de plus de pudeur ou ont même refusé agressivement de partager leur opinion.

Plusieurs de ces témoignages m'ont touché. J'en garde un souvenir fort et poignant, lumineux et pathétique, interpellant et apaisant. Quelques-uns d'entre eux, exprimés avec une liberté rare, m'ont beaucoup appris sur moi-même.

Ceux qui prêchaient pour le «ne pas tout se dire» donnaient des exemples de situations où ils avaient tenté de s'exprimer et où cela s'était retourné contre eux (alors qu'ils cherchaient une écoute) ou, pire encore, où cela avait tourné à la catastrophe (ils s'étaient éloignés alors qu'ils tentaient de se rapprocher).

«Un soir où je me sentais en confiance, dit Marcel, j'échangeais avec ma femme sur les fantasmes que nous pouvions avoir. J'en avais beaucoup et elle aussi, à ma grande surprise. La plupart nous faisaient rire et nous nous stimulions ainsi à rechercher nos fantasmes et nos rêves les plus délirants, quand elle me dit: "Tu sais, moi, j'ai souvent le fantasme de faire l'amour avec deux hommes en même temps!" Je ne sais pas ce que cette phrase – ce n'était pourtant que des mots – déclencha en moi, mais j'ai commencé à l'agresser: "Alors, un seul ne te suffit pas? Tes besoins sont si importants que je ne peux les satisfaire?" Au début, elle m'a répondu gentiment: "C'est juste un fantasme, ça ne veut pas dire que je vais passer à l'acte." Elle a ensuite tenté de désamorcer la situation en plaisantant: "Ça a déjà été difficile de te trouver toi, imagine si je devais en trouver un autre... ce serait la galère!" Mais je n'entendais rien sauf la souffrance réveillée par cette phrase. Notre couple a survécu, mais la spontanéité de l'un comme de l'autre en a été affectée. Je crois aujourd'hui que chacun de nous a droit à un espace d'intimité qu'il doit protéger des invitations à se dire ou des tentatives d'intrusion de l'autre.»

La curiosité de l'un ne correspond pas toujours à l'envie de l'autre de la satisfaire ou de se dire. Et le besoin de se dire varie selon les différentes périodes de la vie d'un couple. Ce besoin ne rencontre pas toujours une écoute juste, adaptée ou suffisamment ouverte et libre pour entendre celui ou celle qui s'exprime.

«Entre nous deux, nous avions appelé cela le jeu de la découverte, dit Fabien. Se prêter à la découverte de soi par l'autre. Je crois que c'est elle qui avait énoncé la règle du jeu:

"On va se dire quelque chose, une seule chose, qu'on ne s'est jamais dite jusque-là.

— D'accord, ai-je répondu. Qui commence?

— Toi!

— Bon, mais ce que je vais te dire se rapporte à quelque chose qu'on m'a dit de toi.

— Oui, mais là tu ne me parles pas de toi, tu vas parler de moi!

— Je vais quand même parler de moi en te disant ce que j'ai appris de toi.

— Je ne souhaite pas l'entendre. Je ne veux pas être polluée par quelque chose qui me concerne mais qui vient d'un autre.

— D'accord, mais c'est pourtant de moi que je vais parler, parce que cela m'a beaucoup touché, cela m'a ébranlé.

— Moi, je ne souhaite pas que tu te serves de moi pour parler de toi!"

Notre jeu s'est arrêté là. Mon désir de dire s'était heurté à son refus très ferme de m'entendre parler d'elle. C'est ainsi que la première pierre d'un mur de silence a été posée ce jour-là. Ce mur s'est élevé sans faire de bruit, sans même que nous le sachions. C'est avec la mort accidentelle de notre enfant que nous avons découvert l'immensité de notre solitude. Comment puis-je dire que c'est la disparition de notre fils qui a sauvé notre couple ? Cela nous a rapprochés et nous a autorisés, en quelque sorte, à nous parler, à nous dire nos ressentis intimes, nos pensées secrètes et, au-delà de notre désarroi, combien nous nous aimions... »

Il y a tous ceux aussi qui ont pris le risque de se dire et d'assumer ce « dit » dans le devenir de leur existence.

« L'amour, je l'ai vraiment découvert avec une autre femme que la mienne six mois après mon mariage, dit Benoît, 50 ans. J'étais déchiré. Je ne savais pas comment me comporter avec mon épouse et avec cette autre qui ébranlait ma vie comme un séisme. Car il y avait dans cet amour naissant quelque chose qui me renvoyait à la création. Quelque chose de complètement nouveau, d'essentiel, de vital devait en surgir, qui faisait table rase de toutes mes certitudes et mes habitudes. Je crois que c'est elle qui m'a appris à être moi. C'est de ce déchirement que je suis né une seconde fois. Pendant plusieurs semaines, j'ai hésité à parler de ce qui m'arrivait ! Comment dire à ma toute nouvelle épouse que je ne l'aimais plus, que notre mariage à peine commencé était une erreur ? Comment ne pas la faire souffrir ? Personne ne va me croire, mais il faut beaucoup de courage pour faire souffrir quelqu'un qu'on a cru aimer et qu'on n'aime plus. J'ai enfin pu lui parler. Le plus inouï, c'est que c'est elle qui m'a aidé à me séparer d'elle. "Tu ne seras jamais heureux avec moi si tu n'as pas senti avant de t'engager que tu étais important pour moi. Je préfère te voir heureux ailleurs que vivre une souffrance au quotidien", m'a-t-elle dit. »

Lorsque Benoît a partagé son histoire avec notre groupe d'amis, ces dernières phrases nous ont tous laissés silencieux. « J'ai porté ces phrases longtemps en moi, m'a dit Gilles par la suite. Nous en avons beaucoup parlé avec ma compagne, nous demandant l'un et l'autre si nous aurions le courage ou la cruauté de dire un jour : "Je ne t'aime plus, je me suis trompé, j'en aime une autre !" Si nous aurions assez d'amour en nous pour vouloir l'autre heureux... sans nous ! Comment pouvoir dire et vivre cela ? »

La réponse est en chacun. Il y a des risques immédiats à se dire, et des risques à plus long terme à ne pas se dire, à attendre que les événements décident pour nous. Lorsqu'on vit en couple et que l'un des deux prend le risque de se dire, il impose son choix à l'autre, ainsi que les conséquences qui en découlent. Les enjeux seront alors différents pour chacun.

« À vingt ans, j'ai été violée en faisant du stop, dit Sandrine. Pendant que cet homme s'acharnait sur moi, j'invoquais, muette, le ciel bleu : "Pourvu que je puisse encore faire l'amour..." Car à l'époque, je croyais que si on avait été violée on ne pouvait plus faire l'amour. Un an plus tard, un homme de soixante ans m'a réconciliée avec moi-même. Cette relation m'a lavée de tous mes doutes, et quelques mois après, j'ai rencontré mon mari, dans un état de pureté étonnant. Quand je l'ai vu pour la première fois, j'ai pu lui parler de tout cela. Son écoute tendre et respectueuse m'a réconciliée avec moi-même. Nous sommes ensemble depuis quinze ans et je sais que c'est pour toujours. »

« À vingt-cinq ans, j'ai été courtisée par deux hommes que j'aimais et que je fréquentais, l'un pendant les vacances, l'autre le reste de l'année, sans jamais leur céder, dit Laurence. Puis, un soir, je me suis donnée à un homme rencontré dans le métro et, curieusement, cela m'a libérée de mon indécision. Je les ai quittés tous les deux ! Un an après, j'ai rencontré mon mari. C'est moi qui suis allée vers lui. Dans une soirée, j'ai vu les yeux de cet homme fixés au loin, c'est la rêverie de son regard qui m'a attirée. J'ai eu soudain envie de faire partie de son rêve. J'y suis toujours. »

« Je fréquentais une jeune fille et nos trois premières tentatives de relations sexuelles se soldèrent par un échec, dit Daniel. Je n'arrivais pas à faire l'amour. Je n'avais pas d'érection, cela ne m'était jamais arrivé. J'étais rempli de désir quand elle n'était pas là et complètement inhibé en sa présence. Nous étions étudiants dans la même université et un jour, en pleine année scolaire, elle a fugué et a disparu pendant trois jours. Le soir de son retour, nous avons fait l'amour pour la première fois. Un mois après, elle m'annonçait qu'elle était enceinte. Nous avons pris la décision de nous marier. Je dis nous, mais en réalité c'est moi qui lui ai proposé de l'épouser pour que l'enfant ait un père, pour qu'il puisse naître dans une famille normale. Quinze jours avant notre mariage, elle m'a annoncé que sa grossesse avait été une fausse alerte! Nos familles avaient tout organisé et nous nous sommes mariés sans amour, du moins chez moi, dans un désespoir et un désarroi si fort que nous ne nous le sommes jamais pardonné! Nous avons mis dix ans à nous quitter sans jamais avoir pu faire d'enfant. J'ai rencontré ma seconde épouse dans un avion. Un de ses enfants était assis entre nous et il nous a mis en relation par ces mots: "Tu ne connais pas ma maman? Tu veux que je te présente?" Elle s'est tournée vers moi en disant: "Je crois que je vais le faire toute seule." Nous ne nous sommes jamais quittés depuis.»

«J'ai aimé trois fois dans ma vie, dit Maude. La première, à neuf ans: j'étais amoureuse de mon cousin qui en avait quinze et j'ai été désespérée lorsqu'il s'est marié, dix ans plus tard! J'ai pensé que je n'aimerais personne d'autre et j'ai tenu bon, comme c'est curieux, jusqu'à l'âge de vingt-cinq ans. Ce nouvel amour a duré quinze ans. Un mariage heureux, joyeux et très vivant. Après la mort de mon mari, je suis restée dix ans sans désir, sans aimer, même pas dans l'attente. Et puis je l'ai rencontré, lui. Il est là, je sais qu'il est éternel.»

Peut-être que certains d'entre nous, certains seulement, j'imagine, doivent passer dans un labyrinthe d'errances ou se heurter à des illusions et des leurres avant de déboucher au plein soleil d'une rencontre fiable et durable. Il faut prendre très tôt le risque de s'affirmer, de se définir, et donc de se dire, tout en sachant respecter en nous et chez l'autre un espace de non-dit qui nous appartient, qui lui appartient.

Besoins ou désirs personnels et besoins ou désirs du couple

Toute rencontre qui se transforme en relation de couple va créer une confrontation entre les besoins indispensables à la survie de chacun des partenaires et les besoins nécessaires à la survie du couple.

Je peux imaginer que la Vie qui nous habite est vivifiée et nourrie par les réponses que nous apportons (ou qui sont apportées par d'autres) à nos besoins, et qu'elle est énergisée et dynamisée par les réponses apportées à nos désirs.

Nous sommes, et cela chacun peut l'éprouver, des êtres ayant des désirs innombrables qu'il est impossible de quantifier, et ayant des besoins plus ou moins repérables, en particulier quand il y a urgence de les satisfaire. Besoins et désirs se chevauchent parfois. Ils sont sans cesse présents dans notre quotidien, parfois à fleur de peau et d'autres fois plus inhibés ou censurés, en particulier certains désirs !

On m'a souvent demandé quelle est la différence entre un besoin et un désir. Le propre d'un besoin, c'est qu'il doit être satisfait, sinon notre intégrité physique ou psychologique est en danger. On pourrait dire que les besoins sont antérieurs aux désirs, qu'ils sont présents dès l'origine de la vie, car ils participent à sa survie.

Le propre d'un désir, c'est qu'il a surtout *besoin* d'être reconnu, entendu, ce qui signifie aussi qu'il ne sera pas toujours satisfait, même si le désir profond d'un désir est d'être comblé !

Il y a des désirs autonomes, dont la satisfaction ne dépend que de nous (ainsi mon désir de lire ou de me mettre au soleil sur ma terrasse, par exemple) et des désirs dépendants, dont la satisfaction dépend du désir ou de l'accord de l'autre (comme mon désir de faire l'amour avec ma blonde, par exemple). La recherche d'une réponse à quelques-uns de nos désirs risque de nous mettre en dépendance, voire de nous aliéner, si la réponse de l'autre tarde ou reste trop longtemps négative.

La direction et l'intensité des désirs sont à mieux cerner pour nous faire comprendre qu'il peut y avoir des désirs dynamisants porteurs de créativité et des désirs impérialistes ou terroristes porteurs de contraintes, voire de violence. Ainsi, comprendre que le désir vers l'autre ne doit pas être confondu avec le désir sur l'autre est toujours un signe de maturité relationnelle, mais beaucoup de personnes ne font pas la différence entre les deux.

Il semble donc que le désir le plus aliénant pour celui qui l'a et pour celui qui en est l'objet est le désir du désir de l'autre. En particulier quand nous voulons ou exigeons que l'autre ait un désir qui corresponde au nôtre: «Je voudrais que tu aimes ma mère au lieu de la détester comme tu le fais!»; «Je souhaiterais que tu puisses apprécier la mer, pour que nous puissions un jour acheter un bateau et naviguer ensemble!»; «J'attends de toi que tu aies envie de faire l'amour (de préférence avec moi) quand j'en ai envie!»

Il est des désirs dont la destinée est de rester dans l'imaginaire, de rester à l'état de désir. Une confrontation avec la réalité pourrait les abîmer ou les dévaloriser. Il est des désirs qui resteront à jamais désirants, qui ne se réaliseront pas, qui resteront portés par le rêve, des désirs s'accordant à d'autres désirs sans jamais s'incarner dans la réalité, qui leur paraîtra toujours trop étroite.

«J'ai rêvé d'écrire un livre qui permettrait aux enfants d'apprendre à respecter et à aimer la beauté, à cultiver la générosité et la tolérance, à honorer la vie en toutes circonstances, dit Claudette. J'avais ce rêve!»

Il est, par contre, des désirs dont la réalisation va non seulement nous combler, mais nous ouvrir, et ainsi dynamiser d'autres rêves et désirs, qui vont à leur tour s'épanouir et transformer des pans entiers de notre existence!

Pour revenir aux besoins, il convient de ne pas les sous-estimer, même s'ils paraissent moins brillants ou lumineux que les désirs, car de leur satisfaction dépend notre équilibre mental et physique. Je pense en particulier aux besoins relationnels, qui sont trop souvent méconnus ou maltraités, et dont la satisfaction ou la non-satisfaction va conditionner la qualité de nos relations aux autres. À chaque besoin relationnel correspond une demande à satisfaire, explicite ou implicite, qui se traduira par un état de bien-être et de paix si elle est entendue et comblée, ou un état de mal-être et de souffrance si elle est ignorée ou non satisfaite

Il peut arriver que nous ayons à choisir entre répondre à un besoin ou à un désir. Si nous croyons sortir du conflit (dans un premier temps) en choisissant de répondre au désir, il faut quand même savoir que nos besoins nous rattrapent toujours.

S'il est toujours possible de différer la réponse à un besoin, il faudra cependant, à un moment donné, le satisfaire. J'invite donc, en dernier recours, à privilégier la satisfaction du besoin. Car notre vie, notre équilibre corporel et mental en dépendent.

Un couple mature ne confond pas les besoins personnels de chacun de ses protagonistes avec ses propres besoins, car un couple vivant a des besoins. En voici quelques-uns :

- besoin de sécurité lié à la fiabilité de la relation ;
- besoin de confirmation que le couple remplit une fonction importante dans le devenir de chacun de ses membres ;
- besoin de partage, c'est-à-dire d'avoir des échanges personnels (autres que fonctionnels pour la bonne marche des besoins du ménage !) ;
- besoin de nettoyer la relation quand elle est encombrée ou parasitée par des contentieux, des mots toxiques ;
- besoin de tendresse gratuite et imprévue, sans avoir l'alibi d'un anniversaire ou d'une fête à célébrer ;
- besoin de tolérance et d'ouverture, pour faire face aux tensions et aux malentendus inévitables, etc.

« Je confondais mes besoins personnels avec ceux de notre couple, dit Steve, créant ainsi un amalgame dans lequel ma compagne ne se retrouvait pas toujours. Un jour, en vacances, nous avons pris le temps de découvrir que notre relation avait des besoins spécifiques que jusqu'alors nous n'avions pas pris en charge. Parmi ces besoins, celui de prendre du temps pour *entretenir, pour prendre soin de notre couple,* de la même façon que nous entretenions notre voiture, nous répartissant les tâches - moi la partie mécanique, elle l'intérieur -, notre couple avait aussi besoin de soins, d'un sérieux nettoyage autour des contentieux qui s'accumulaient et grippaient nos échanges. Nous sommes toujours ensemble et ça fonctionne plutôt bien ! »

Quelques difficultés sexuelles possibles chez les hommes et (peut-être) chez les femmes d'aujourd'hui

Ce qui caractérise une relation amoureuse ou une relation intime de couple, c'est la possibilité d'une rencontre sexuelle. Dans les témoignages que je reçois s'expriment souvent des difficultés, et donc des souffrances, dans ce domaine.

Pendant des siècles, la sexualité masculine a été un sujet tabou. On ne posait pas de questions sur la sexualité masculine, même si les hommes pouvaient plaisanter entre eux sur leurs performances réelles ou fantasmées en ce domaine.

Il était acquis, dans un consensus quasi généralisé, que c'était les femmes qui, la plupart du temps, avaient moins de désirs, ignoraient le savoir-faire, en amour, produisaient des blocages et des difficultés de tous ordres dans ce domaine. Les revues féminines s'en faisaient l'écho, avec une abondance d'articles, de reportages ou de témoignages. L'état de la sexualité féminine posait problème et demandait compréhension, patience ou remède. Ces mêmes revues restaient plus discrètes sur l'état de la sexualité masculine, et ce, jusqu'aux dernières années du XXe siècle.

Disons-le tout de suite, aujourd'hui, l'état des lieux ne semble pas vraiment meilleur. Des inquiétudes, des malaises, quelques rumeurs se font entendre. Au cœur de beaucoup de silence, de quelques souffrances, de questionnements, d'interrogations nouvelles, le monde des hommes commence quand même à s'agiter, et certains remettent en cause leurs comportements et leurs pratiques sexuelles.

« Mon plaisir se résumait à éjaculer, dit Frédérick. Durant des années, dans mon couple, je me satisfaisais de ma petite performance.

Ce fut un choc pour moi de découvrir que je n'avais, en réalité, jamais eu d'orgasme! Je confondais, sans me poser la moindre question, éjaculation et orgasme. C'est durant mon deuxième mariage, après trois ans de veuvage, que j'ai fait cette découverte étonnante avec celle qui m'a appris à explorer le monde de mon plaisir intime et, par la même occasion, le sien!»

«Pendant des années, dans mon couple, j'étais le plus désirant, dit René. J'avais même parfois le sentiment d'être un véritable obsédé tellement je ne pensais qu'à cela! Et puis, et puis, les choses se sont inversées. Il me semble aujourd'hui que c'est elle qui est pleine de désirs, et je n'arrive pas toujours à suivre. J'invoque la fatigue, le stress, l'insécurité face à mon avenir professionnel, mais je sens bien que je suis dépassé, démuni...»

«Je sais que j'ai peu d'appétences sexuelles, dit Normand. Sitôt qu'elle manifeste une intention de relation, je me sens fatigué. Je me sens bien en étant simplement contre elle. Notre couple va bien, mais sur ce plan il y a des manques. Je sais qu'elle souffre, qu'elle se demande si je ne la trouve pas assez désirable, pourquoi je ne manifeste pas plus souvent du désir pour elle. C'est entre nous une zone d'ombre qui s'épaissit...»

Les symptômes qui émergent le plus souvent, et dont les hommes parlent encore avec beaucoup de réticence, sont connus: perte du désir, désintérêt, impuissance, déplacement sur des activités physiques, du bricolage, quelques fois du voyeurisme à l'aide de films pornographiques, recours à des jeux plus ou moins pervers dans lesquels un des deux se met au service des fantasmes de l'autre sans toujours y adhérer ni, surtout, y trouver son compte.

Il faut aussi parler d'un des problèmes sexuels les plus anciens, les plus importants dans la culture occidentale: l'éjaculation précoce.

Au-delà du fait de ne pouvoir se retenir, d'aller trop rapidement pour pouvoir vivre une rencontre satisfaisante, de ne pouvoir partager un plaisir, un abandon, ou d'être impuissant à dynamiser la fête des corps, il y a surtout la souffrance, la honte de ne pas se sentir à la hauteur des attentes de l'autre. Les hommes qui en souffrent ressentent de l'impuissance face à leur incapacité à donner du plaisir.

«J'ai découvert que l'impuissant n'est pas celui qui n'arrive pas à avoir du plaisir, c'est celui qui ne peut en donner à sa partenaire, dit Joseph. Je suis en thérapie et j'avance lentement, très lentement, comme si je ne voulais pas me réveiller, comme si je voulais rester encore un peu dans les limbes d'un long sommeil.»

Les femmes témoignent de plus en plus, à la fois de leurs insatisfactions et de leurs découvertes et réussites, du bien-être sexuel qui se prolonge sur d'autres plans dans les partages de la vie conjugale. Elles se plaignent parfois, mais font preuve le plus souvent d'une patience et d'une compréhension infinies, respectueuses et bienveillantes qui ne traduisent pas toujours leurs impatiences, leurs frustrations ou les reproches qui pourraient s'accumuler.

«Nous partageons beaucoup de tendresse, dit Tania. Depuis quelques années, notre rencontre est devenue plus charnelle que sensuelle, plus affectueuse que sexuelle. Cela le satisfait et d'une certaine façon me suffit, mais je sens qu'il y a en moi plus de possibilités, plus d'espaces dans mon corps qui pourraient être explorés. Je ne me sens pas frustrée, mais d'une certaine façon en attente, disponible, ouverte à plus. Ce qui n'était pas le cas il y a quelques années!»

«Je tente des caresses, des stimulations, mais j'ai le sentiment de l'ennuyer, de l'irriter et j'arrête souvent pour ne pas le confronter à ses propres carences, dit Maria. Alors je rêve. J'ai des fantasmes incroyables dont je ne peux parler à personne, mais qui me font un bien fou...»

«J'ai pris l'habitude de me donner du plaisir en sa présence, dit Ginette. Au début, je voyais cela comme une marque de confiance et de respect, et puis j'ai senti qu'il ne participait plus, alors je suis retournée à une pratique plus solitaire...»

Les hommes, eux, témoignent plus difficilement. Rares sont ceux qui acceptent de se confier, d'exprimer leur malaise ou leurs difficultés.

«J'avais de plus en plus de mal à avoir du désir, dit Dany. Au début, je croyais que c'était l'habitude, la routine qui avait usé mes élans. J'ai cherché des stimulations avec des vidéos et des films, cela ne s'est pas amélioré pour autant.»

« Le coup d'arrêt a été mon licenciement, à 44 ans, dit Anthony. J'avais l'impression que je ne valais plus rien, que je n'étais plus un homme fiable. Je m'étais jusqu'alors situé dans mon couple en initiateur, en demandeur. J'étais le partenaire actif, et puis tout cela s'est lentement érodé… Me laissant avec le sentiment de ne servir à rien ! »

Il y a encore quelques années, les hommes, dans leurs relations intimes avec les femmes, s'investissaient plus dans la conquête, dans le faire, dans l'action que dans l'échange, l'attentivité et le partage. Dans leur trajectoire professionnelle, ils étaient attentifs à leur profil de progression et de promotion. Aujourd'hui, que ce soit dans le monde du travail, les sports, les activités physiques, la chasse ou le bricolage, ils se sentent remis en question.

« Combien la restauration de notre maison, durant des dizaines de fins de semaine, m'a servi d'alibi…, dit Nathan. J'étais crevé, épuisé. Elle aussi d'ailleurs, et cela justifiait une activité sexuelle réduite. »

Dois-je nommer « difficulté sexuelle » le fait que beaucoup d'hommes n'ont jamais réellement connu de plaisir ou d'orgasme ? En effet, beaucoup d'hommes confondent éjaculation et orgasme. Beaucoup de femmes le savent et perçoivent dans l'intimité de leur corps que l'éjaculation de leur partenaire n'est qu'une décharge, un soulagement de l'angoisse qu'ils portent, avec parfois même une connotation agressive.

« Je sens bien que sitôt sa petite affaire faite, soulagé, il se détend, s'endort sans plus se préoccuper de moi, sans un mot, sans une caresse de plus », dit Sabine.

« Au début, il était fébrile, impatient, cherchant à tout prix à s'introduire, ne prenant pas le temps ni la peine de faire des caresses qui devaient lui paraître vaines, inutiles, sans se soucier si j'étais prête à l'accueillir, dit Amélie. Sitôt qu'il était entré, il semblait rassuré, s'agitait encore un peu puis se calmait. "Voilà, c'est fait, devait-il penser, j'y suis arrivé !" J'ai l'air d'être une mégère en disant cela. Ce n'est pas le cas. J'aspire encore avec lui à des rencontres vraies, pleines, satisfaisantes et pour l'un et pour l'autre… »

« Je ne veux plus être une poubelle à sperme », s'est écriée Ninon un jour de ras-le-bol face au devoir conjugal.

L'abandon, le non-contrôle, que suppose l'accès au plaisir semble être difficile à atteindre pour les hommes. Le lâcher-prise, la confiance, l'écoute de l'autre qui en sont les prémices nécessaires, au-delà des sentiments et du respect mutuel, semblent leur faire défaut ou être réduits à leur plus simple expression chez plusieurs d'entre eux.

Il ne s'agit pas, bien sûr, de généraliser, mais d'oser d'une part en parler et s'ouvrir ainsi aux possibles échanges plus intimes, à une confrontation sur ce terrain complexe, à une exploration plus fine de ce domaine sensible sans qu'il soit nécessaire d'entreprendre une démarche thérapeutique ou d'envisager un travail sur soi ou de développement personnel.

Une des réalités les plus cachées et les plus censurées semble être la résurgence, chez certains hommes, d'une homosexualité refoulée. Je ne place pas l'homosexualité parmi les difficultés sexuelles. C'est plutôt son rejet, sa censure ou sa négation qui en font une difficulté à vivre.

« J'avais eu une première expérience en pension à quatorze ans avec un camarade plus âgé, dit Serge. Cela m'a bousculé. Je n'ai jamais cru que je pouvais être homosexuel, et pour en faire la preuve, je me suis marié assez jeune. Mais quand mon fils a eu quatorze ans, il s'est passé une chose terrible. Je me suis soudain mis à m'intéresser à ses copains, aux jeunes garçons qui venaient à la maison. On aurait dit que mon fils me renvoyait à ma première séduction. J'ai tenu bon durant quatre ans. Je ne suis jamais passé à l'acte, mais j'ai cessé toute relation sexuelle avec ma femme. Puis, j'ai demandé le divorce l'année où mon fils a eu dix-huit ans. C'est curieux, c'était l'âge du garçon qui m'avait séduit quand j'avais quatorze ans ! Cela, je ne l'ai compris que plus tard.

« Aujourd'hui je vis avec un homme. Tout ce temps perdu, gâché, toutes ces errances pour arriver là ! Un mariage boiteux pendant des années, une vie sexuelle pauvre, un enfant qui, j'espère, n'est pas trop perturbé par mes choix, avant de pouvoir enfin accepter mon orientation sexuelle véritable ! »

Cet exemple, que j'ai réduit à l'essentiel, est évidemment plus complexe que ce qu'expriment ces quelques phrases. Il a supposé chez cet homme, outre de la lucidité, un véritable travail sur soi pour accepter d'accéder à une vérité difficile, délicate et douloureuse, pour la reconnaître et la faire connaître autour de lui.

Chez la plupart des hommes mariés qui ont inscrit en eux une homosexualité latente, celle-ci restera souvent refoulée, niée. Elle peut se traduire par une perte du désir, du dégoût pour certaines parties du corps féminin, ou même des critiques violentes contre les homosexuels ou des plaisanteries outrancières et des grossièretés à leur sujet. Ces dernières ne sont pas entendues comme l'expression de mécanismes de défense ou de résistances, mais plutôt comme des valeurs morales qu'ils croient respectables et avec lesquelles ils pensent gagner l'approbation de leur entourage ! L'homosexualité, dans un couple hétérosexuel, peut être réactivée à un moment donné par un événement ou une rencontre. Le désir vers le partenaire se détournera alors, s'absentera et se perdra dans le silence, l'indifférence et l'incompréhension.

Ainsi, de maladresses en malentendus, de blocages en non-dits, la vie sexuelle d'un couple peut se paralyser, s'étioler et disparaître dans les sables mouvants du silence. Ne subsiste alors qu'une relation de compagnonnage, de cohabitation sociale ou de partenariat économique.

La sexualité masculine, tout comme la sexualité féminine, est le support d'enjeux, de défis, d'épreuves, de déplacements extrêmement complexes qui peuvent se réveiller et apparaître avec l'arrivée d'un enfant. Cet événement peut détourner le désir d'un homme de sa femme quand celle-ci devient une... mère, ou encore étancher celui de la mère qui, se sentant comblée et apaisée par son enfant, éprouve moins ou plus du tout de désir vers son partenaire. Le propre du désir, c'est qu'il échappe à toute volonté, à toute décision rationnelle. Nous ne pouvons pas nous forcer à désirer.

Puis-je parler aussi, avec plus de légèreté peut-être, mais non sans gravité, de l'excès de désir, qui est un problème pour celui qui en est l'objet. C'est ce que l'on pourrait appeler un désir terroriste ! Il est impérialiste, tyrannique ou violent, et cherche à s'imposer sans discussion, sans échanges, avec comme seul objectif d'être comblé tout de suite.

« Mon mari me dit: "Moi, j'ai besoin de faire l'amour tous les jours, si tu refuses, je me sens malade. D'ailleurs je ne comprends pas que tu n'aies pas le même désir que moi ! Ce n'est pas normal, on a tout pour être heureux et tu n'en profites pas...", dit Annick. Quand j'entends cela, je suis hors de moi. Hors de moi est l'expression juste, car cela me projette loin de lui, me coupe de mes propres élans et envies. Pour l'instant, il reste enfermé dans ses certitudes, et nous nous éloignons l'un de l'autre, ce qui le conforte dans son point de vue. Il me dit: "Je ne comprends pas ton refus, c'est inacceptable pour moi. Si tu étais normale, tu devrais avoir envie..." »

Elles sont nombreuses à subir ce genre de positionnement aveugle chez leurs conjoints, à quelques variantes près: « C'est normal qu'un homme ait souvent envie de faire l'amour, je ne comprends pas pourquoi tu fais des histoires, tu aimais ça au début... »

Il y en a cependant (et de plus en plus) qui se rebellent, qui s'affirment, qui se positionnent et ne veulent plus se laisser enfermer dans une image de femme anormale parce qu'elles n'ont pas les mêmes attentes que l'autre.

« Il est temps que tu découvres qu'il n'y a pas que les hommes qui ont du désir, les femmes aussi, et elles ne sont pas pour autant des putes, comme tu sembles le penser ! » a dit Violaine à son partenaire du moment.

Le désir est souvent présenté comme un besoin impérieux qui doit être satisfait. Il sera donc imposé, le plus souvent, avec une apparente sincérité, par l'homme à la femme, ou l'inverse: « Il me semble évident, tout à fait normal, que tu fasses l'amour avec moi parce que tu es ma femme, que je suis ton mari ! » Certaines seraient tentées de décoincer un peu leur partenaire, de le ramener à plus de lucidité.

« Je voudrais qu'un jour on puisse parler plus longuement, de façon plus réfléchie, de ce qui se passe entre nous, dit Josiane. Il a fait un commentaire qui m'a blessée l'autre jour, devant des amis: "Il y a aujourd'hui des femmes à qui il ne faut pas en promettre, elles en veulent sans arrêt. D'ailleurs, toute cette publicité autour d'elles avec des hommes jeunes, bien foutus, ça les excite et nous on ne fait plus le poids!" Je voudrais qu'il comprenne que ce n'est pas une question de poids ou de comparaison. C'est une question de partage, d'accord, de confiance. C'est vrai que j'ai souvent envie de lui, que j'aime faire l'amour et que j'attends de sa part plus d'écoute de mon corps et non pas des commentaires sur les femmes en général. Moi je suis là devant lui, près de lui, nous pouvons parler de ce qui est bon pour lui, pour moi, de ce qui le gêne chez moi, de ce qui me gêne chez lui. Parler, se parler, voilà ce qui nous manque le plus… »

Le refus ou la réponse différée du partenaire déclenchent de l'incompréhension. Ils sont parfois vécus comme de véritables agressions par certains hommes et les poussent à des passages à l'acte. Ainsi, le viol conjugal est plus fréquent qu'on l'imagine. Et combien de violences physiques, de blessures ou de contraintes psychologiques, de culpabilisations, de dévalorisations ont pour point de départ un refus ou une opposition à des demandes trop pressantes pour faire l'amour. Je voudrais rappeler que je ne souhaite pas ramener ou circonscrire toute la vie sexuelle contemporaine à ces quelques faits ou mécanismes. J'ai tenté de baliser quelques-unes des difficultés et des souffrances les plus présentes pour certains hommes et femmes pour inviter à des échanges, à des partages et à des réajustements possibles.

Je ne peux terminer ce chapitre sans parler du Viagra (ou de ses équivalents). Je ne veux pas m'étendre sur ce phénomène, puisque ces dernières années ont vu fleurir beaucoup d'articles et de commentaires sur ces prothèses chimiques. On a beaucoup écrit, glosé dessus. Cette aide chimique est surtout un révélateur et un tuteur possible (c'est le mot qui convient) pour aider, et surtout rassurer, celui dont les moyens sont quelquefois défaillants. Je ne suis pas persuadé que le Viagra peut résoudre toutes les carences sexuelles des hommes, mais il peut certainement contribuer à en éliminer quelques-unes en étant un stimulant, un soutien précieux pour les hommes à la virilité défaillante ou qui ont des pannes dues à l'âge ou à des dysfonctionnements physiologiques. Par contre, la prise d'une pilule ne doit pas les inciter à faire l'impasse sur un travail de réconciliation avec eux-mêmes.

Si la sexualité ne peut être ramenée au seul sexe, reconnaissons qu'elle est le creuset de beaucoup d'émerveillements comme le foyer de nombreux plaisirs et de fréquents malentendus dans une relation de couple qui dure. En ce sens, elle est essentiellement relationnelle. Ce n'est pas le sexe qui manque le plus, c'est la liberté de se dire et d'être entendu dans ses désirs et attentes, dans ses émois et ses ressentis, dans ses abandons et ses inquiétudes. C'est la fluidité des mots, la sensibilité de l'écoute et la qualité du partage qui font le plus souvent défaut.

La rencontre sexuelle comme aboutissement de la plénitude et la confirmation d'une intimité harmonieuse débouche sur la participation de tous les langages de la communication, à savoir ceux des sens, des sentiments, des corps et de l'énergie. Elle s'appuie avant tout sur une congruence relationnelle, un respect de soi et de l'autre pour déboucher sur la fête des corps et une amplification mutuelle du plaisir quand il est présent.

Un sentiment amoureux peut parfois être injuste

Les sentiments amoureux que nous pouvons éprouver, à un moment ou l'autre de notre vie, envers un homme ou une femme, sont uniques et, par là même, ils ne peuvent ni se comparer ni s'évaluer. Je pourrais dire qu'ils appartiennent à ceux qui les sentent en eux ! Malheureusement, ils ne sont pas toujours vécus en réciprocité. Ils sont souvent asymétriques et parfois même douloureusement orphelins quand ils ne trouvent pas d'écho chez l'autre : « Je sens que tu m'aimes moins que je t'aime ! » ; « Aucune personne au monde ne t'aimera comme je t'ai aimé… » ; « Tu devrais m'aimer, puisque je t'aime ! »

Les sentiments amoureux sont ainsi parfois injustes parce qu'ils échappent à notre volonté. On ne peut les commander ou les diriger. Ils peuvent ainsi se déposer sur quelqu'un qui va les supporter avec réserve, les accueillir et même les amplifier et les vivifier, ou encore les dévaloriser.

Le fait de découvrir que l'être aimé ne partage pas nos sentiments provoque une blessure qui, même si elle reste secrète, est bel et bien là. Même si l'on peut ressentir une chaleur ou une bienveillance, une fierté ou un courage, selon les situations, lorsqu'on est le seul à aimer, peut se développer en nous insidieusement par la suite une sorte de poison qui corrode non seulement nos sentiments, mais aussi notre esprit, et toute la relation où nous sommes engagés. Car celui qui aime ne peut s'empêcher d'avoir des pensées malsaines, d'éprouver des réactions ou d'exprimer des commentaires, de faire des invitations dans l'espoir que les sentiments de l'autre évoluent ou même se réveillent, pourquoi pas ? « Peut-être qu'il va quand même m'aimer un jour ? » espère-t-il.

Aussi serait-on tenté de prévenir la personne qui se laisse aimer sans ressentir en elle-même un sentiment équivalent : « Gardez-vous d'être aimée par quelqu'un que vous n'aimez pas, il risque de vous le faire payer un jour ! » Même si la personne aimée se défend en disant : « Mais je ne lui ai jamais demandé de m'aimer » et invoque la bonne foi de ses non-sentiments ou le fait qu'elle a essayé d'être honnête avec elle-même et avec l'autre en lui disant très tôt : « Je suis très touchée et émue par vos sentiments, mais je ne me sens pas réceptive à votre amour, car je n'éprouve pas de sentiment amoureux pour vous » - ah ! qu'il est difficile de dire : « Je ne vous aime pas » ! Si la personne aimée a osé dire cela, si elle a prononcé ces mots inacceptables pour rester en accord avec elle-même, cohérente avec son ressenti ou au plus près de ses sentiments réels, elle a sûrement déclenché de la colère, de l'agressivité. On va lui reprocher d'être quand même à l'origine de l'amour qu'elle provoque. On va souvent la culpabiliser avec cette accusation paradoxale : « Si je ne t'avais jamais rencontrée, je ne serais pas malheureux aujourd'hui, tout cela est quand même de ta faute ! »

Cette négation de la responsabilité que chacun devrait avoir envers ses propres sentiments est plus fréquente qu'on peut l'imaginer. Reconnaître, comme le fit un de mes amis, que « mon malheur a été de l'aimer, au début, inconditionnellement, sans me rendre compte que j'ai espéré durant dix ans qu'elle m'aimerait en retour... » peut aider non pas à faire le deuil de son propre sentiment amoureux, mais à l'atténuer, sans toujours l'éteindre tout à fait !

Les amours altruistes, oblatifs sont rarissimes, et cependant ce sont peut-être les amours les plus beaux et les plus forts, car ils se nourrissent de leur propre générosité, de leur abondance, de leur gratuité. Ils se donnent sans contrepartie.

Nous souhaitons tous, quand nous aimons, être aimés en réciprocité et sentir que notre amour est non seulement accueilli, mais aussi amplifié par celui de l'autre à notre égard. Quand ce miracle arrive, prenez-en soin.

Comment est-il possible de maltraiter l'amour le plus merveilleux ?

Nous avons une infinitude de moyens pour nourrir, dynamiser, vivifier un amour que nous portons en nous ou que nous recevons de l'autre, mais il y a de nombreuses façons de maltraiter un sentiment d'amour :

- Nous pouvons soit disqualifier nos propres sentiments, soit blesser les sentiments de l'autre, soit exercer notre habileté à dévaloriser la personne de celui ou celle qui nous aime, en appuyant sur ses manques, ses insuffisances ou ses doutes.

  « J'étais un jeune adulte à l'orée de la vie et j'ai vu un soir, chez des amis, un couple qui s'aimait, dit Jérémie. J'ai envie de dire qui s'aimait à pleine envie. Cela m'a marqué à jamais. Surtout la manière dont la femme posait son regard sur l'homme. J'ai senti que tout son être était disponible pour lui. Et là, le mot "amour" m'a semblé insuffisant pour nommer ce que je voyais. Et pourtant, c'est un mot immense comme l'infini, un mot plein d'attentes, un don total, une offrande pleine sans aucune réserve. Le mot qui est venu à mes lèvres durant cette scène fut "dévotion". Et à ce moment précis, j'ai désiré vivre quelque chose comme ça, c'était ce qui pouvait m'arriver de plus grand, de plus beau. Je voulais pouvoir à mon tour connaître un amour semblable, être dans une unité totale non seulement avec l'autre, mais avec toute la vie qui était en moi. J'ai eu cette chance quelques années plus tard et j'aurais dû être comblé, mais hélas j'ai demandé plus. J'ai harcelé l'autre, lui demandant, exigeant même une part d'elle-même qu'elle n'avait pas, mais que, dans la déraison qui m'aveuglait, je croyais qu'elle aurait dû avoir! Je vivais ses propres manques comme une injustice qui m'était faite! Et c'est ainsi que j'ai transformé nos rencontres en conflits, puis en blessures. C'est comme cela que j'ai réussi à tuer son amour et à la faire fuir, à l'éloigner à jamais de moi.»

Un autre moyen efficace pour maltraiter les sentiments sera de culpabiliser l'autre, en lui disant par exemple: «Personne ne t'aimera comme je t'aime!» Ou en exigeant la réciprocité: «Tu devrais m'aimer au moins comme je t'aime!» Ou encore en introduisant des comparaisons: «Je n'ai jamais aimé une femme comme je t'aime toi, tu devrais en être reconnaissante.»

- Nous pouvons nous dévaloriser d'avoir aimé quelqu'un qui ne le méritait pas à nos yeux: «Mais quelle idiote j'ai été d'aimer un homme comme lui!»
- Nous pouvons aussi blesser les sentiments de celui ou celle qui nous aime en lui reprochant de ne pas nous aimer assez, de refuser de répondre à nos désirs: «Si tu m'aimais vraiment (c'est le «vraiment» qui est important!), tu aurais envie de faire l'amour avec moi!» Ou encore: «Tu n'es même pas capable de m'aimer comme tel autre m'a aimée!» Quand nous sommes dans les reproches ou les accusations, tous les prétextes sont bons, les argumentations, aussi absurdes soient-elles, sont avancées sans état d'âme: «Tu n'es jamais d'accord avec moi, tu me contredis toujours même quand j'ai raison, et j'ai toujours raison, tu le sais bien!»
- Nous pouvons agresser l'autre verbalement ou physiquement. Certains surchargent leur relation de couple de tellement de messages toxiques que les sentiments s'évaporent, se distendent, que des brèches apparaissent dans l'amour qui, fragilisé d'avoir été trop meurtri, peut mourir ou se déposer ailleurs, où il sera mieux accueilli.

«Je suis bien consciente d'avoir tué l'amour de mon mari en lui reprochant sans arrêt de s'intéresser aux autres femmes, en lui faisant des crises intempestives de jalousie, et surtout en le disqualifiant en public», dit Andréa.

«Je savais que je n'avais pas le meilleur d'elle, qu'elle préférait donner toute son attention, son affection à son chien, dit Maxime. Alors je prenais plaisir à l'humilier et à martyriser son caniche. Vous vous rendez compte! J'avais quarante ans, la responsabilité d'une entreprise performante où travaillaient quelque deux cents ingénieurs, et je perdais ma vie à ces jeux débiles!»

Si nous acceptions de mieux comprendre qu'un amour, pour rester vivant, a besoin d'attention, de soins, d'échanges et de partages en réciprocité, nous pourrions inscrire en nous plus d'amour dans la durée.

«C'est ma troisième grande relation amoureuse, dit William. J'ai soixante ans et j'ai compris, à mon âge, qu'il est nécessaire de protéger notre amour. Et cela, dans différentes directions, tout d'abord contre moi-même, contre mes propres pensées négatives et toxiques, les autosaboteurs dont je suis le spécialiste. Par exemple, j'ai toujours besoin d'avoir l'accord de celle que j'aime sur tout, comme si c'était une garantie, une confirmation de son amour pour moi! Je dois aussi protéger mon amour des autres, de mon entourage proche, de ceux qui veulent mon bien et qui tentent de s'immiscer dans ma vie intime, relevant tel ou tel défaut, comportement ou conduite chez ma compagne et que je n'avais pas vu jusque-là. Je dois encore protéger mon amour face à quelques-unes des réactions de celle que j'aime qui me semblent destructrices, quand elle veut m'imposer sa façon de voir ou de faire qui ne correspond pas à ma sensibilité, par exemple. Ainsi, j'avance avec elle et avec moi depuis maintenant sept ans, à la fois vigilant et libre, dans une relation que je considère comme un miracle.»

Chaque couple avance, recule, navigue à vue. Chacun de ses protagonistes déclenche, en toute bonne foi, des cycles de malentendus auxquels il faut s'ajuster, pour lesquels ils pensent qu'il faut faire des compromis, inventer de nouvelles façons d'être.

> « Tous mes amis le soulignaient, dit Jean-Yves : "Devant elle tu n'es plus le même, on ne te reconnaît pas, réveille-toi !" »

Nous apprenons à faire face à nos propres contradictions, à affronter les paradoxes nés du choc de nos incompréhensions mutuelles, et arrivons le plus souvent à trouver la bonne distance pour continuer à cheminer ensemble au plus près de notre amour, au plus proche de nos rêves communs.

Comment est-il possible de ne plus aimer... la personne que l'on aime ?

Une question m'a été posée, chuchotée même, à moins d'un mètre de mes livres, au dernier Salon du livre de Paris, par une femme belle, vivante et souffrante. L'interrogation s'énonça ainsi : « Comment faire pour ne plus aimer quelqu'un qui ne nous aime plus et que l'on aime toujours ? » L'espace public d'un salon du livre n'est pas propice pour proposer un chemin possible, pour avoir une écoute centrée et être d'une aide réelle. Je crois avoir répondu : « Tout d'abord, vous devrez *reconnaître vos sentiments réels sans les confondre avec les sentiments que vous souhaiteriez avoir !* Dans une telle situation, trouver la bonne distance en se respectant n'est pas facile, mais c'est le seul chemin que je connaisse. »

Oui, comment faire pour se débarrasser d'un amour qui nous habite et qui nous empoisonne, qui ne nous dynamise plus, qui nous asphyxie, qui nous dévitalise ? Comment se retrouver, se respecter quand on aime toujours passionnément, douloureusement, quand on aime à cœur et à esprit perdus, les pensées et le corps sans cesse tournés vers celui ou celle qui ne nous aime plus ? Comment faire pour ne plus penser à celui qui est parfois parti avec quelqu'un d'autre, mais qui peut aussi rester là, détaché de nous, sans être capable de prendre la décision de nous quitter définitivement ? Comment combattre ce qui s'appelle l'attachement ? Voilà non pas le quotidien d'un couple, mais quelques-uns de ses mystères. Ces situations sont plus fréquentes qu'on ne l'imagine. Elles se résument à ne pas arriver à quitter quelqu'un que l'on n'aime plus ou à ne pouvoir quitter quelqu'un qui ne nous aime plus, qui ne s'intéresse plus à nous ou qui peut nous faire souffrir ! Et bien sûr, je n'ai aucune solution à proposer. Je peux seulement suggérer quelques balises possibles pour apprendre à se respecter, pour ne pas sombrer dans le désespoir, pour ne pas se noyer dans un cycle d'attentes sans issues.

Ce qui me semble être la démarche la plus vitale pour pouvoir continuer à vivre en accord avec ses valeurs, c'est de chercher à établir une distance avec l'autre, c'est-à-dire de renoncer à la recherche d'une intimité, d'une proximité avec l'autre.

Le sentiment amoureux ne se commande pas. Quand il est là, il nous habite et nous enveloppe de partout. Il a pris, le plus souvent (quand il n'a pas été trop dévitalisé ou usé), possession de nous à temps plein. Il semble même se réveiller, se renforcer en nous quand nous sentons que l'autre se dérobe, fuit, ou ose même nous dire un jour: «Je ne t'aime plus.» Confrontés à notre amour qui n'est plus alimenté par celui de l'autre, nous avons soudain la responsabilité de nos propres sentiments, celle de les vivifier, de les nourrir, de les maintenir vivants, de les consolider, bref, de nous occuper d'eux!

Découvrir que nous sommes seuls à faire vivre un amour, que l'autre est une ombre, un souvenir, qu'il est absent, peut nous accabler, nous désespérer, nous violenter.

Nous avons les uns et les autres, quand cela nous arrive, des stratégies incroyables pour faire face, pour combattre, pour tenter d'influencer l'autre, pour essayer par tous les moyens de changer quelque chose en lui (ou parfois en nous). La plus paradoxale de ces stratégies, après avoir disqualifié l'autre, après l'avoir agressé et accusé de ne plus être ce qu'il a été, est de maltraiter nos propres sentiments en nous dévalorisant: «Mon amour n'était pas assez bien, assez fort pour lui!»; «J'aurais dû l'aimer avec plus d'attentions, de prévenance...»; «Je n'ai pas su le retenir, j'aurais dû être moins critique, ou plus disponible, ou plus femme (ou plus homme!).»

Cette dévalorisation de nous-mêmes et de nos sentiments va envahir tout notre espace intime, nous entraîner dans une sorte de folie double et mortifère visant d'une part à nous abaisser, à nous critiquer: «Si je m'étais écoutée, je n'en serais pas là, j'ai perdu dix ans de ma vie dans cette histoire...»

«Quelle idiote j'ai été d'aimer quelqu'un comme lui, dit Véronique. J'avais bien senti qu'il n'était pas fiable, d'ailleurs toutes mes amies avaient tenté de m'avertir. J'aurais dû respecter ce que je ressentais au début. Rien ne m'attirait en lui. Je sentais bien que ça ne marcherait pas. Si je m'étais écoutée, je n'en serais pas là, j'ai perdu dix ans de ma vie dans cette histoire ! »

Folie visant d'autre part à abîmer, à violenter nos propres sentiments en donnant des injonctions, celles de rejeter l'amour qu'on porte encore en soi pour l'autre, de le disqualifier avec la volonté de le faire taire, de le faire disparaître, de le nier en le renvoyant au néant *d'où il n'aurait jamais dû sortir* dans le but de diminuer la souffrance, de la justifier, de la rendre plus normale.

Mais nous savons tous que la raison n'a aucun poids, aucune influence sur les sentiments, qu'il est vain de chercher à expliquer, à rationaliser ce qui est de l'ordre de l'irrationnel, cette part de mystère qui touche à ce que nous appelons « amour ».

Peut-être serait-il plus sage d'accepter que nous pouvons continuer d'aimer quelqu'un qui ne nous aime plus sans avoir besoin de le maltraiter, ni de maltraiter notre amour. Nous pouvons continuer à porter et à respecter en nous un amour que nous sommes seuls à reconnaître, dont nous sommes les seuls à sentir la présence. Il nous appartient de le respecter, puisqu'il provient de nos propres sentiments.

Il convient donc, d'une part, de reconnaître et de respecter nos propres sentiments, et, d'autre part, d'apprendre à vivre avec le manque de celui qui n'est plus là pour les accueillir et les valoriser.

Le véritable travail sur soi sera de tenter de retrouver, de reconnaître, d'entendre la blessure ancienne réveillée, réactivée par ce manque. Qu'elle soit de l'ordre de la trahison, de l'injustice, de l'humiliation, de l'impuissance ou du rejet, elle nous renvoie à l'abandon, à la peur de ne plus être aimés et aussi à la culpabilité de ne pas avoir été à la hauteur. Nous aurons à nous séparer de la croyance erronée que, *si nous avions été suffisamment aimables, l'autre aurait continué de nous aimer !*

Encore une fois, je propose un travail sur soi, une écoute de notre histoire et la recherche de « reliances » à faire avec les personnes significatives de notre existence passée.

La culture des chagrins d'amour

Certaines personnes semblent passionnées par la culture des chagrins d'amour. Je dis « passionnées », car la façon gourmande dont elles en parlent me donne à penser qu'elles ne peuvent s'en séparer facilement, et que ces chagrins nourrissent l'essentiel de leur vie, comme s'ils étaient nécessaires pour leur confirmer qu'elles existent et qu'il y a en elles quelque chose de solide à quoi s'accrocher.

Il est des chagrins d'amour dont la fonction première est de maintenir vivante, d'entretenir une relation impossible ou asymétrique, quand l'un aime une personne qui ne l'aime pas ou qui en aime un autre. L'amour en réciprocité existe, bien sûr, et il est le « liant » puissant d'un certain nombre de couples, mais il est plus rare qu'on l'imagine ! Un sentiment amoureux, chez l'un, peut donc entrer en concurrence ou se confronter à des sentiments divers, chez l'autre, qui ne lui sont pas destinés !

« Je crois que je suis faite pour les chagrins d'amour, dit Célia. Mon père pianiste préférait son piano à moi. J'ai passé une partie de mon enfance à m'accrocher, chaque fois qu'il jouait, au pied du piano, serrant farouchement contre ma joue le bois lisse et noir. J'entendais les notes tout contre mon oreille. Je captais ce qui me venait de ses doigts comme autant de caresses qui auraient pu m'être destinées. Je lui chuchotais mon amour tout en sachant que sa passion pour son piano viendrait toujours en premier ! J'ai été longtemps partagée entre amour et haine pour ce piano, que j'aurais voulu brûler, tout en sachant que, si je faisais cela, je me priverais encore plus de sa présence. Il en fut ainsi, par la suite, de tous mes amours. Je m'accrochais désespérément à ce que j'avais envie de détruire ! »

«J'ai toujours aimé les hommes qui avaient une passion, dit Monique. Je savais dès le début de la relation que je passerais toujours après cette passion, que je ne viendrais qu'en deuxième ou troisième position. Au fond, je crois que ce que j'ai surtout aimé dans ma vie, ce sont les chagrins d'amour, qui me faisaient à la fois souffrir et qui me gratifiaient, me donnaient le sentiment que j'étais quelqu'un de bien qui pouvait aimer l'inaccessible. Cela me confirmait que j'étais quand même une femme extraordinaire d'aimer quelqu'un qui ne m'aimait pas, qui acceptait seulement que je puisse l'aimer!»

«Mon plus grand chagrin d'amour a été de ne pas me sentir aimée ni par mon père ni par ma mère, dit Linda. L'un et l'autre s'aimaient tellement que personne d'autre autour d'eux ne pouvait prétendre avoir une place dans leur existence. Ils s'offraient mutuellement leur présence dans une fusion permanente. Tous leurs regards, leurs gestes, leurs mots étaient unidirectionnels, aucun ne pouvait se perdre ou s'égarer sur quelqu'un d'autre de leur entourage proche. Moi, leur fille, je n'étais que la spectatrice de leur amour. Alors j'ai passé le reste de ma vie à rechercher un amour aussi unique, aussi exclusif, sans jamais le trouver jusqu'à ce jour, mais je ne désespère pas. Je poursuis ma quête, elle donne du sens à mon existence!»

«Ma mère réclamait, exigeait mon amour comme un dû, dit Sonia. Elle ne connaissait pas la réciprocité. J'ai tenté durant des années de la déloger de cette position. Je voulais avoir un retour, qu'elle me dise simplement qu'elle m'aimait aussi, sans comprendre que je déclenchais ainsi son irritation et son rejet. J'ai ainsi entretenu avec elle, jusqu'à sa mort, une guerre perdue d'avance. C'est le suicide de ma sœur qui m'a sauvé la vie. Il m'a fait découvrir que j'aimais la vie. Soudain, je me suis mise à savourer mon existence. Tous les chagrins que j'entretenais avec beaucoup de soins ont disparu quasiment du jour au lendemain! Pour être honnête, j'ai parfois encore l'envie de croire que j'ai été un jour aimée de ma mère!»

Si l'amour est susceptible de créer des liens forts entre deux êtres, les chagrins d'amour semblent des liants efficaces. Certaines relations vont ainsi se construire et enchaîner durablement certaines personnes qui, sans jamais renoncer, tenteront d'obtenir ce que l'autre ne peut justement pas leur donner!

Ruptures amoureuses et autres épreuves

On m'a souvent posé ces deux questions : « Est-il possible de guérir du mal d'amour ? » et « Qu'est-ce qui permet d'en guérir ? »

Je dois dire que je n'ai jamais considéré l'amour comme un mal. C'est plutôt l'absence d'amour qui fait mal, et surtout la disparition d'un amour qui était considéré comme acquis. Deux situations peuvent en être la cause :

- Le désamour peut surgir de façon totalement imprévisible dans la vie d'une femme ou d'un homme, avec sa contrepartie, une souffrance insupportable pour la personne qui continue à aimer quelqu'un qui ne l'aime plus.
- L'être aimé peut disparaître de façon brutale, et soudain s'ouvre devant celui qui reste un gouffre immense.

Il faudra donc – et on ne nous a jamais appris comment faire – que celui qui reste avec dans son cœur un amour encore vivace mais sans vis-à-vis apprenne à faire le deuil des sentiments de l'autre, à se réconcilier avec ses propres sentiments et, par là même, avec son devenir.

Il faut aussi comprendre que la vie n'est faite que de rencontres et de séparations qui sont autant de naissances possibles pouvant nous projeter dans un nouvel univers relationnel. Naissances à venir, naissances en gestation faites de rencontres magiques ou déstabilisantes, et de séparations nécessaires, choisies ou imposées.

Quand une séparation nous est imposée, il y a effectivement non pas des étapes, mais différentes démarches à accomplir. Elles sont essentiellement d'ordre symbolique, mais se révèlent très réparatrices quand on peut les mettre en pratique. Il convient, par exemple, de «restituer» à l'autre, de «rendre» de façon symbolique à la personne qui nous a quittés la violence que représente sa décision ou son choix de vie. Cela peut se faire à l'aide d'un objet que l'on renvoie, accompagné d'une lettre qui précisera que *sa décision* nous a fait violence, que cette violence est bien la sienne, et que nous la laissons chez elle. On peut aussi représenter par une écharpe la relation que nous avons vécue avec la personne qui nous quitte. Puis, quand nous sentons que nous ne sommes plus prisonniers ou enfermés dans des conduites accusatoires, culpabilisantes ou dans la victimisation (qui sont des comportements fréquents après une rupture), nous pouvons la renvoyer avec un mot d'accompagnement où serait mentionné, par exemple: «Dans un premier temps, c'est toi qui m'as imposé une rupture de la relation. Aujourd'hui, c'est moi qui t'annonce que je renonce à cette relation et que, même si tu revenais, je ne poursuivrais pas avec toi!»

Car l'erreur la plus fréquente après une séparation imposée, c'est, d'une part, de continuer à entretenir des ressentiments, des rancœurs à l'égard de l'autre en l'accusant d'être responsable de notre souffrance et, d'autre part, de garder l'espoir qu'il va revenir, qu'il va changer d'avis, qu'il va comprendre combien nous l'aimons et qu'il pourrait ainsi regretter sa décision! L'ensemble de ces comportements nous maintient dans la dépendance et nous empêche de regagner notre autonomie affective et relationnelle.

Très souvent, la personne qui se sent trahie est envahie par la colère, qui est l'expression de son sentiment d'impuissance. Elle découvre brutalement qu'elle n'a aucun pouvoir sur les sentiments de l'autre. Elle a l'impression que son désir de lui dicter qu'il devrait continuer à l'aimer est mis en échec... C'est en acceptant cette vérité fondamentale, que les désirs ne sont pas tout-puissants, qu'il est possible de dépasser la colère pour oser enfin rencontrer la tristesse qui est derrière, et peut-être, ce qui est le plus important, d'accepter de reconnaître la blessure archaïque portée depuis longtemps et qui s'est réveillée avec le départ de l'être aimé. Cette acceptation invitera à un travail personnel pour enfin soigner et réparer cette blessure, qui vient le plus souvent de l'enfance. Car contrairement à ce que nous croyons, ce n'est pas le départ de l'autre qui nous fait souffrir, mais plutôt la remise à jour de cette blessure ancienne qui se réveille avec l'absence, la trahison, l'abandon ou le sentiment d'être rejeté par la personne qu'on aime.

Il peut parfois y avoir des tentatives de chantage (des menaces de suicide), des menaces physiques, des manœuvres pour influencer l'autre ou pour tenter de le *récupérer* – je n'aime pas ce terme, car il suppose une double manipulation : de soi-même et de l'autre – en faisant intervenir les amis, les parents ou les enfants, par exemple.

Après une rupture, une séparation qui se concrétise par la fin de la vie commune ou une mise à distance dans la relation, plusieurs enjeux peuvent continuer de troubler la personne qui est partie :

- Elle peut croire qu'elle s'est trompée, égarée, qu'elle n'a pas pris la bonne décision en partant, qu'elle tient encore à cette relation. Elle peut à ce moment-là se positionner comme celle qui demande la reprise de la relation.
- Elle peut se sentir malheureuse ou coupable devant le désarroi, la souffrance, le désespoir de l'autre, et peut-être modifier sa décision pour reprendre ou réinventer une nouvelle relation avec lui. Elle prend alors le risque d'être tentée ensuite de le lui faire « payer » pour l'avoir incitée ou « forcée » à revenir.
- Elle peut assumer sa décision et témoigner clairement d'un nouveau choix de vie sans essayer d'en minorer les conséquences ou tenter de rassurer l'autre en lui laissant croire que ce n'est pas fini, ce qui l'infantiliserait et le mettrait en position d'attente, donc de dépendance…

Une rupture peut, si on a pu faire quelques démarches symboliques pour assumer la séparation, se révéler bénéfique. Combien de fois ai-je entendu des femmes me dire : « Quelques années après son départ, je l'ai remercié de m'avoir quittée, car sans cela je ne serais pas devenue la femme que je suis aujourd'hui. Je n'aurais pas rencontré l'homme avec qui je vis et qui me comble... »

Une rupture, au-delà de la souffrance ou du désarroi premier qui habite celui ou celle qui est quitté, se révèle très souvent stimulante, car elle oblige à découvrir de nouvelles ressources, à puiser dans quelques-uns des possibles en friche ou inexploités qui existent en chacun. Elle est très souvent l'équivalent d'une nouvelle naissance.

La période qui suit une rupture avec un être cher est souvent marquée par le besoin impérieux de comprendre ses raisons. « Pourquoi a-t-il fait cela ? » est une question qu'aucune réponse ne peut satisfaire.

C'est pourquoi toutes les relations amoureuses sont à risque, car elles peuvent réactiver, réveiller ou remettre au jour quelques-unes de nos blessures archaïques autour de la honte - « Je ne me sens pas reconnu » -, de l'humiliation - « Je ne me sens pas respectée » -, de l'injustice - « Pourquoi cela m'arrive-t-il à moi ? » -, de la trahison - « Il m'avait juré fidélité, je le croyais fiable » -, de l'impuissance - « Je ne suis pas arrivé à la retenir » -, de l'abandon - « Je ne suis pas intéressante, je ne vaux rien » - et du rejet - « Je suis mauvais, c'est pour cela qu'elle me quitte ! ».

Accompagner une rupture ou la perte d'un être cher par un acte symbolique me paraît très réparateur. C'est une démarche qui *parle à notre inconscient,* qui libère des énergies nouvelles, qui nous réconcilie avec la « vivance » de notre vie. Quand une situation est bloquée, on peut toujours la dépasser grâce à un acte symbolique.

Ce qu'il faut aussi savoir, c'est que chaque relation amoureuse est tricotée de trois histoires : celle de l'un, celle de l'autre, celle de leur rencontre et de leur vécu commun. Le seul repère fiable que nous pouvons avoir, c'est la confirmation que ce n'est pas l'amour qui maintient deux êtres ensemble dans la durée, mais la qualité de la relation qu'ils vont se proposer l'un à l'autre. Relation qui devrait être nourrie de messages positifs, valorisants, vivifiants, et ne pas contenir trop de messages toxiques qui autrement peuvent empoisonner le quotidien et blesser le désir de poursuivre ensemble les rencontres, les partages ou les projets d'une vie commune.

Il n'y a pas de bonne ou de mauvaise manière de rompre. La personne qui veut quitter son partenaire s'interroge parfois longtemps à l'avance, animée d'un désir louable mais totalement inefficace: «Je ne voudrais pas lui faire de mal!»; «Vaut-il mieux y aller doucement ou pratiquer l'équivalent d'une opération chirurgicale?»

Rompre, quitter l'autre fait toujours mal, beaucoup à celui qui est quitté, mais aussi à celui qui quitte. Y aller doucement n'aide pas nécessairement celui qui va se sentir abandonné. C'est une précaution illusoire sur laquelle tente de s'appuyer celui qui abandonne pour essayer de se sentir moins coupable. Disons-le autrement: une rupture imposée est l'équivalent d'une opération chirurgicale... sans anesthésie.

Dans les premiers mois d'une séparation, il peut être important *de couper les ponts*, de ne pas trop se voir, de ne pas tenter de se rassurer faussement en disant: «On restera amis», car les sentiments de la personne qui a été laissée vont se réactiver, *saigner,* d'une certaine façon, à chaque rencontre. Ensuite, après la mise en place de quelques jalons et démarches symboliques, l'imprévisibilité de la vie se manifestera à nouveau, avec plus de générosité que nous pouvons l'imaginer.

La graine d'amour qui est en chacun de nous ne demande qu'à mûrir à nouveau, à donner des fruits, à s'offrir encore, et ainsi à poursuivre et à maintenir vivant le cycle de l'amour.

Les blessures d'amour

Les blessures qui sont directement liées au fait d'aimer sans être aimé, d'être aimé sans aimer ou d'être mal aimé sont plus fréquentes qu'on l'imagine. J'oserais même dire qu'elles sont innombrables tant les relations amoureuses sont à la fois fragiles et complexes dans leur construction et leur déroulement.

Quel amant, quel écoutant, quel psychothérapeute pourrait soupçonner, dans le léger crissement produit sur des feuilles mortes par un pas qui s'éloigne, le soupir inachevé d'un amour qui s'enfuit?

Quelle oreille faut-il développer pour entendre dans les silences d'un corps les cris d'une blessure qui ne cessera de grandir, de suppurer à force de vouloir se persuader qu'un amour disparu peut quand même renaître; que l'être toujours aimé mais qui n'aime plus peut encore changer d'avis, se reprendre, prendre conscience que cet amour-là ne saurait se terminer ou s'arrêter ainsi; qu'il n'est pas possible, qu'il est impensable (impansable!) de renoncer à des sentiments aussi forts, aussi vitaux; que c'est de la pure folie de réduire à néant tant de souvenirs heureux, de perdre à jamais tant de moments sublimes, tant d'échanges sensuels, charnels, tant de jouissances partagées qui ne demandent qu'à se poursuivre – du moins chez l'un!?

Quelle compassion sera nécessaire pour cheminer avec celui ou celle qui souffre de découvrir qu'il n'est plus aimé et se sent réduit à rien, renvoyé au néant, avec la sensation qu'il n'a plus aucune raison d'exister, que sa vie n'a plus de sens et qu'il pourrait même y renoncer?

Nous touchons là à l'un des enjeux majeurs de toute relation d'amour, la collusion très fréquente entre sentiments ou ressentis et relation. Confusion quasi universelle, très bien entretenue par l'éducation reçue en amont, chez beaucoup de femmes et d'hommes, entre ce qui relève, d'une part, des sentiments éprouvés (ou pas) par l'un pour l'autre (avec dans le meilleur des cas une réciprocité) et, d'autre part, du système relationnel (qui circule) entre les protagonistes d'une relation amoureuse. Système relationnel structuré autour de trois supports : attentes, apports et zones d'intolérance de l'un et de l'autre. Quand les attentes de l'un ne correspondent pas ou ne s'ajustent pas aux apports de l'autre, quand apports et attentes non seulement ne correspondent pas, mais stimulent en plus des zones d'intolérance, alors diverses dynamiques antirelationnelles ou a-relationnelles se mettent en place et polluent ou parasitent les échanges, blessent les sentiments, maltraitent la mise en commun, rendent la présence de l'autre trop douloureuse ou insupportable. Toute rencontre amoureuse qui se transforme en relation de couple devient ainsi une relation labyrinthique tricotée par trois histoires : celles de l'un et de l'autre, et l'histoire même de leur rencontre, de leurs partages, de leurs accords et désaccords, de leurs attentes, de leurs possibles, de leurs désirs et des rapports de force qui peuvent s'installer entre eux.

Certains, par la suite, pourront témoigner et dire l'essentiel d'un malentendu durable en une seule phrase. En voici quelques exemples :

- « J'ai aimé sur un mode infantile, je voulais surtout posséder son amour. »
- « J'ai aimé en aveugle, ébloui au début par l'intérêt, l'attention, l'affection que je suscitais, désespéré ensuite de ne pas savoir lui donner la même chose en réciprocité, d'être le seul consommateur de cette relation ! »
- « J'ai aimé avec une avidité monstrueuse, la dévorant de mes baisers, l'envahissant de mes désirs. Au début, elle a tout accepté, ensuite elle ne cherchait plus qu'à se dérober, ce qui m'était insupportable ! »
- « J'ai surtout aimé son amour. Cette vague chaude qui venait de ses yeux, de ses gestes, de son corps. Je peux le dire, je dévorais son amour et ce n'était jamais assez. »

- « Je n'ai rien compris quand elle est partie, j'étais persuadé qu'elle avait tout pour être heureuse. En fait, je ne m'étais jamais préoccupé de ses propres attentes et désirs à mon égard, j'étais focalisé sur les miens ! »
- « J'ai aimé comme on boit un grand verre d'eau fraîche et ma soif apaisée, je l'ai quittée. »

Les blessures liées à l'abandon ou à la perte d'un être aimé sont cruelles, car, dans un premier temps, elles semblent se régénérer en permanence à son seul souvenir, à la moindre évocation de sa personne ou du vécu partagé. Ces blessures s'autoalimentent, s'amplifient jusqu'à envahir tout l'espace d'une pensée, qui s'attache à relever des signes, des preuves, des jalons pour tenter de recomposer le passé, pour mieux cerner ce qui aurait dû se passer, ne pas se passer, se dire ou ne pas se dire.

En écoutant mieux ce qui a été réveillé en nous par le départ ou la perte de l'être aimé, nous pourrons avoir accès à l'une ou l'autre des blessures archaïques qui ont jalonné notre enfance et que nous avons le plus souvent enfouies à l'aide d'un système défensif. Nous pourrions les déloger et les dépasser à l'aide d'un travail sur soi !

Ce qui se passe, en fait, c'est que ce travail sur soi, qui devrait être fait avant, en amont, se déclenche la plupart du temps après, en aval, comme une évidence liée aux désarrois et aux découvertes entrevues après une rupture ou une séparation.

Quitter celui que l'on a aimé ou être quitté...

Il n'y a rien de plus difficile à dire que ces quelques mots: «Je ne t'aime plus!» Rien n'est plus douloureux pour celui qui reçoit cette phrase de quelqu'un dont il s'est senti aimé et qu'il continue d'aimer. Aussitôt, c'est le doute, la chute dans une immense faille qui engloutit d'un seul coup tout un vécu, positif ou négatif, et qui mène parfois à des pensées venimeuses, dévorantes, toxiques: «Au fond, elle me ment depuis toujours, elle ne m'a jamais réellement aimé!»; «Quelle idiote j'ai été de croire en lui!»

Peut-être serait-il moins douloureux pour l'autre d'entendre: «Je n'ai plus d'amour pour toi. En toute honnêteté, je ne peux plus appeler amour les sentiments qui m'habitent. J'ai pour toi une infinie tendresse, de l'affection, de la gratitude, de l'admiration, mais ce n'est plus de l'amour...»

J'ai déjà évoqué la question qui taraude celui qui n'aime plus: faut-il quitter quelqu'un qu'on a aimé, ou cru aimer, en le ménageant, en le préparant, ou en tentant de le rassurer? «Je t'aime toujours, mais ce n'est plus la même chose qu'avant, quelque chose a changé en moi. Je ne suis plus le même. Mes sentiments ont évolué, vieilli, se sont distendus, dissous, évaporés... mais j'ai toujours une immense tendresse et beaucoup d'affection pour toi.» Quel mot curieux, je l'ai déjà souligné, que ce mot «affection» dans ses différentes significations, quand l'autre s'écrie: «Ce n'est pas de ton affection dont j'ai besoin, mais de ton amour, seulement de ton amour au présent!»

Faut-il plutôt pratiquer, comme me l'a suggéré quelqu'un qui a été souvent quitté, *l'équivalent d'une opération chirurgicale*, et trancher dans le vif non de la chair, mais du lien ? Dire en une seule fois, abruptement, de façon à ne laisser aucun espoir : « Je ne veux plus te voir. Je ne répondrai plus ni à tes appels téléphoniques, ni à ton courrier, ni à tes courriels. Je ne veux plus t'adresser la parole » ?

De toute façon, une telle déclaration, quelles que soient les précautions prises, est insupportable, injuste et irrecevable, dans un premier temps, pour la personne à qui elle est destinée.

Quel que soit le mode opératoire (le mot est juste !), la personne qui est quittée peut adopter deux attitudes totalement opposées. Soit elle accepte (car cette décision rejoint peut-être son propre désir caché !) et elle peut même, de façon très réactionnelle, surenchérir : « Tu n'entendras plus parler de moi. Puisque tu ne veux plus de moi, puisque tu rejettes mon amour, c'est fini à jamais entre nous » et se redéfinir comme sujet, alors qu'elle était en position d'objet, abandonnée ou rejetée. Soit encore elle s'accroche, harcèle l'autre, refusant de toutes ses forces la fin de la relation. Si son amour est puissamment stimulé à l'idée de la perte, elle peut engager l'équivalent d'un combat ultime, d'un forcing pour changer la décision et en inverser l'issue vécue comme irréelle ! Elle peut, entre deux discours contradictoires mais cohérents, tenter de maintenir une relation fictive, oscillant entre déclarations amoureuses et accusations. Elle peut aussi exprimer de façon insistante et répétitive de véhémentes proclamations d'amour, affirmer un renforcement de son attachement : « Mais moi je t'aime. Tu ne peux pas me faire ça. Qu'est-ce que je vais devenir ? Sans toi, ma vie n'a plus de sens... » ou encore asséner violemment à l'autre toute une série d'accusations et de reproches pour le culpabiliser, dans un cycle qui semble sans fin : « De toute façon tu ne m'as jamais aimée, c'est facile pour toi, je sais que quelqu'un d'autre va me remplacer, c'est dégueulasse de me jeter comme cela, je le savais, tu ne m'as jamais respectée, c'est indigne de toi, de moi, de notre amour... »

Le recours à la victimisation est aussi une stratégie possible pour tenter de forcer l'autre à revenir sur sa décision : « Qu'est-ce que je vais devenir sans toi ? Je vais mourir. Ma vie n'a plus de sens, mais de toute façon tu t'en fous, cela t'est bien égal de me voir souffrir, de savoir que je pleure tous les jours du matin au soir. Tu n'en as rien à faire de savoir que je n'ai plus envie de vivre, que plus rien ne me retient sur cette terre... »

Qu'elle soit brutale ou graduelle, une rupture fait mal, très mal, mais la douleur qui s'impose violemment n'est pas liée, comme on veut bien le croire, à l'annonce de la rupture, mais plutôt à ce qui est touché, réveillé, réactivé chez celui qui est quitté. L'anticipation de la perte de l'être aimé remet au jour l'une ou l'autre de ses blessures archaïques, inscrites dans son enfance. Blessures encore vivaces de l'humiliation, de la trahison, de l'injustice, de l'impuissance, de l'abandon ou du rejet qui implosent soudain et le terrassent, le laissant aussi démuni qu'un tout petit enfant, fragile comme au premier matin du monde !

Après une rupture brutale, certaines personnes peuvent s'autoagresser en des somatisations plus ou moins graves, en adoptant des conduites dépressives, en perdant du poids (ou l'inverse), en se mettant dans un état proche de la sidération, comme dévitalisées, sans ressources, renvoyées au néant. D'autres, à l'inverse, se livreront à des actes destructeurs pour tenter de supprimer celui ou celle qui a abandonné, qui a précipité la rupture, comme pour l'intérioriser à jamais en lui ôtant la vie.

De toute façon, une déclaration de rupture, quelles que soient les précautions prises, est vécue comme violente, injuste et irrecevable dans un premier temps. Ainsi, la personne qui est quittée peut *nourrir sa souffrance* durant de longs mois sans jamais comprendre qu'elle collabore implicitement à son propre désarroi en ne prenant pas en charge les situations inachevées de son enfance qui ont été remises au jour par la rupture. Un accompagnement, un soutien psychothérapeutique, voire médicamenteux, sera parfois nécessaire pour l'accompagner dans la traversée de ce tunnel qui semble, dans un premier temps, mortifère et sans espoir.

Mais il peut arriver un jour qu'après avoir subi tous les affres de la perte, tous les ressentis de la solitude imposée, elle remercie celui qui l'a quittée, car il lui aura permis une nouvelle naissance, sinon une meilleure connaissance d'elle-même et de ses ressources, en la poussant à réparer quelques-unes de ses blessures, à prendre conscience de situations inachevées de son histoire et à envisager d'autres choix de vie plus adaptés à la personne qu'elle est devenue.

« J'ai souffert l'enfer quand elle m'a quitté, dit Louis. Je découvrais brutalement combien je lui étais attaché. Dix ans plus tard, j'ai demandé à la rencontrer pour la remercier, pour lui dire combien son départ m'avait obligé à travailler sur mon passé, et surtout sur une partie de mon enfance blessée. Je lui ai dit que je ne serais pas devenu l'homme que je suis aujourd'hui si elle n'avait pas pris cette décision de mettre fin à notre couple... »

Le but intrinsèque, le sens profond d'une rupture ou d'une séparation, c'est de nous mettre à nouveau au monde !

Quand les hommes vivront d'amour…

« Quand les hommes vivront d'amour, il n'y aura plus de misère, les soldats seront troubadours… », chantait Raymond Lévesque, poète et chanteur québécois. Paroles de rêve qui tout de suite après nous replongent dans la réalité, avec les mots suivants : « mais nous, nous serons morts, mon frère ».

Et pourtant, contrairement à une opinion très répandue, ce n'est pas l'amour qui manque, même s'il est parfois défaillant. Chacun d'entre nous, j'en suis intimement persuadé, possède un réservoir d'amour quasi inépuisable. De plus, entre le désir d'être aimé et le besoin d'aimer, les voies sont multiples, les aspirations à rencontrer un partenaire ou simplement un autre, semblable ou différent de soi, d'établir une relation proche pour pouvoir recevoir et donner sont vivantes et tenaces, les rêves et les projets pullulent dans l'esprit et le corps de beaucoup d'entre nous.

Alors, que nous manque-t-il ? Au-delà de la foi et de nos croyances, ce qui nous fait défaut, c'est peut-être des ancrages concrets, des balises, c'est-à-dire des points de repère stables qu'il serait possible d'une part d'intérioriser, et d'autre part de partager au quotidien.

Ainsi, je rêve que puissent se créer et se recréer, dans les villages et les quartiers des grandes métropoles (qui sont de véritables déserts relationnels), ce qu'il serait possible d'appeler des Oasis Relationnelles – ce qu'étaient autrefois les églises et les lieux de culte, les clubs, et certaines auberges accueillantes –, des espaces où il serait possible non seulement de se rencontrer, d'échanger et de partager, mais aussi de créer des relations vivantes sans mise en dépendance, sans aliénation ou rapports de force oppressants. Des lieux qui favoriseraient un véritable apprentissage à la communication sans violence, où le souci d'apprendre à mettre en commun serait primordial, en respectant quelques balises comme demander sans quémander ou exiger, donner sans imposer ou attendre en retour, recevoir sans se sentir en dette et refuser sans se culpabiliser. Car un amour qui n'est pas nourri, vivifié et dynamisé par des échanges en réciprocité risque de s'étioler, de se perdre, de s'égarer, de se déliter ou de se stériliser.

Les sentiments, qui sont de l'ordre de l'irrationnel, et la communication, qui relève de la possibilité de mettre en commun, ne s'accordent pas toujours, comme nous l'avons vu. Nous comptons trop souvent sur notre bonne volonté, sur nos intentions positives, et oublions que communiquer, c'est être capable de se dire et d'être entendu. De se dire dans différents registres (des idées, des ressentis, des croyances, des émotions et des sentiments, qu'ils soient positifs ou négatifs) et d'être entendus dans le registre dans lequel nous nous exprimons. Si je dis le ressenti qui m'habite à un moment donné, je veux que l'autre entende ce ressenti sans le minimiser, sans le nier, et même sans tenter de me rassurer ou de m'entraîner dans un autre registre.

Nous pourrions dire qu'un amour aura d'autant plus d'impact, sera d'autant plus vivant s'il s'accompagne d'un partage qui tient compte non pas uniquement des désirs de l'un et de l'autre, mais aussi des besoins relationnels de chacun. Aussi n'est-il pas inutile de rappeler encore et encore nos sept grands besoins relationnels qui sont la sève de la vie circulant en nous. Outre le besoin de se dire (avec les langages dont nous disposons à tel moment de notre vie) et d'être entendus (sur la longueur d'onde de notre réceptivité), le besoin d'être reconnus tels que nous sommes (et non tels que l'autre nous voudrait), le besoin d'être valorisés (d'avoir l'impression que nous avons une valeur pour ce que nous sommes comme personnes et pas uniquement pour ce que nous faisons), le besoin d'intimité (d'avoir un espace, des moments qui nous appartiennent, où l'autre ne fera pas intrusion sans notre accord), le besoin de créer, d'influencer notre environnement (de nous sentir coauteurs de notre vie) et le besoin de rêver, d'imaginer que demain sera meilleur et plus beau qu'aujourd'hui, et qu'après-demain sera encore rempli de possibles.

L'amour n'est pas cette panacée universelle capable de réparer notre passé, de résoudre tous nos problèmes, d'apaiser les conflits et de faire disparaître les malentendus. Il est une vibration qui suscite un état d'être particulier qui nous rend plus sensibles, plus perméables aux manifestations du vivant en nous et autour de nous ! Tout amour doit être nourri par une relation gagnant-gagnant pour résister aux épreuves de la vie, pour se bonifier, pour se développer et s'inscrire dans la durée !

Dans un couple, il n'est pas toujours nécessaire que l'un se sacrifie pour l'autre... pas toujours !

Chacun sait combien il est important, dans un couple, de pouvoir s'appuyer sur l'autre dans les moments difficiles ou les passages périlleux de l'existence. Mais il n'est pas toujours nécessaire que l'un se sacrifie - surtout si c'est toujours le même - au profit de l'autre ! Les relations de béquillage ou d'assistanat en continu sont souvent vécues douloureusement par l'un comme par l'autre. Réaliser que l'on entretient avec celui ou celle qu'on aime, qui est le père ou la mère de nos enfants, des relations asymétriques (qui peuvent se révéler plus ou moins aliénantes au long des années) peut déclencher des prises de conscience vertigineuses et déboucher sur des remises en cause courageuses.

Le fait d'oser des échanges et des partages où s'exprimeront les attentes, les apports et les zones d'intolérance de chacun peut contribuer à libérer beaucoup de non-dits, à dissoudre des ressentiments, à éliminer les ruminations et les rancœurs, bref, permettre d'alléger et d'assainir une relation qui se révèle trop dysharmonique ou trop déséquilibrée.

La prise de conscience n'est pas suffisante. Il faut quelque chose de plus pour provoquer un changement dans la relation que l'on propose à celui qui nous est proche, et sur lequel, trop souvent, nous déversons des attentes ou des reproches, des accusations et des violences qui ne le concernent pas, mais qu'il reçoit quand même de plein fouet au quotidien. Ce quelque chose de plus peut être un travail sur soi, une guidance ou un accompagnement.

Nous savons aujourd'hui combien l'inconscient est à l'œuvre dans le choix du partenaire, dans la formation d'un couple. Il nous pousse à tisser des liens particuliers qui seront nourris par des conduites qui ne correspondent pas toujours aux besoins profonds de chacun.

La psychanalyste Catherine Ben Saïd et le philosophe Jean-Yves Leloup, dans leur livre *Qui aime quand j'aime ?*, posaient cette question extrêmement pertinente pour nous inviter justement à mieux comprendre l'origine profonde de certaines conduites et comportements répétitifs qui peuvent aliéner, blesser la personne que nous aimons, avec qui nous partageons l'essentiel de notre existence.

Reconnu comme dément (il sera hospitalisé à Sainte-Anne), le philosophe Louis Althusser ne savait pas encore qu'il étranglerait sa femme Hélène dans un accès de folie quand il lui écrivit, vingt ans plus tôt, avec beaucoup de lucidité, cette lettre :

« Je crois que je t'ai imposé, dans les dernières années, et sans doute dès le début ou presque de nos relations, une infinité de brimades. Je t'ai brimée pour ta maladresse, je t'ai brimée pour tes "taches", je t'ai brimée pour ta façon de t'habiller, je t'ai brimée en te coupant la parole devant des tiers et, ce qui est pis, sans que personne ne fût là entre nous, en montrant de l'impatience quand tu parlais, je t'ai brimée pour... tes sauces de salade, je t'ai brimée (et c'est sans doute le plus important) en me montrant sceptique à l'égard d'un certain nombre de tes projets (ta capacité à l'endroit de l'italien, par exemple), de tes jugements (ce que tu pensais du monde du cinéma, par exemple), voire de tes capacités de transformation. Et je pense que tu as dû éprouver cette accumulation de réserves et de blessures, voire de revanches, qui sans doute n'étaient pas adressées à toi en personne, mais qui t'atteignaient tout de même avec la même précision et la même efficacité que si elles te visaient en personne, avec une amertume profonde, d'autant plus profonde que tu sentais que tu n'étais pas en cause en vérité, mais que cela ne m'empêchait pas de m'acharner sur toi. Amertume et sentiment d'injustice que je comprends qu'ils ont pu te révolter contre moi et contre la vie que je te faisais mener pour régler sur toi des comptes qui ne te concernaient pas. Je voudrais te dire que je crois que je ne suis plus le même inconscient. Je sais maintenant et fort bien qui ces brimades visaient. Nous savons que c'est ma mère, il n'y a plus le moindre doute là-dessus. »

Nous avons là, outre un témoignage exceptionnel, celui d'un cas extrême qui devrait nous pousser à nous interroger sur les conséquences profondes de violences vécues, subies ou trop longtemps supportées.

L'accumulation de trop de sacrifices ou de trop de maltraitances peut mener une personne à s'autoviolenter, sous forme de somatisations, ou à violenter directement ou indirectement son partenaire, dans les mille occasions d'un quotidien banal mais ô combien tumultueux pour ceux qui y vivent à temps plein. Un quotidien devenu parfois un champ de bataille pour régler avec l'autre des comptes qui ne le concernent pas, pour déposer sur un partenaire aimé des violences accumulées à l'endroit d'un autre, pour maltraiter aveuglément une relation à laquelle on tient sans comprendre tout à fait qui en est la victime, qui en est le bourreau !

Il ne s'agit pas de vouloir se rassurer en pensant à tous les couples qui fonctionnent sans guerre, ouverte ou cachée. Il peut même nous arriver de nous identifier à eux, de nous confondre avec eux, avec la certitude qu'il est possible d'être épanouis, comblés et heureux d'être ensemble. Et c'est tant mieux, car il y a des couples heureux, peut-être ne l'ai-je pas assez mentionné ? J'en connais plusieurs !

Le devenir d'un couple

Que la rencontre amoureuse qui s'est transformée en relation de couple soit sur un mode formel (mariage) ou plus atypique (Pacs), ou qu'elle s'inscrive dans une relation de compagnonnage sur un même territoire ou sur deux territoires différents, avec une relative autonomie ou indépendance de chacun des partenaires, les crises à traverser semblent identiques.

Nous en avons évoqué quelques-unes, telle la désidéalisation de l'être aimé quand nous découvrons qu'il n'a pas toutes les qualités qu'on lui prêtait, qu'il ne répond pas à tous nos désirs, qu'il déçoit quelques-unes de nos attentes ou encore qu'il réveille quelques-unes de nos zones d'intolérance.

Je ne reviens pas sur les nombreuses mutations possibles du sentiment amoureux, sur la confrontation, voire les oppositions liées à certains antagonismes, sur l'évolution du désir, sur la cohabitation possible (ou impossible) avec des relations parallèles qui peuvent s'insérer dans la relation principale (addictions, dépendances, tierce personne, maladies…).

Il y a aussi le passage de la fusion (1 + 1 = 1) à la différenciation (1 + 1 = 2), puis à la triangulation (1 + la relation + 1 = 3), avec une meilleure conscientisation qu'il convient de prendre soin d'une relation importante en prenant la coresponsabilité de sa vitalité.

Pour assumer cette coresponsabilité, plusieurs alternatives vont se présenter aux partenaires. Ils auront ensuite, chacun à des moments différents, à en assumer les conséquences. Voici les différentes alternatives possibles :

- Il peut y avoir chez l'un une acceptation passive (et parfois sacrificielle) de ce que propose l'autre, à base de soumission, d'adhésion, de collaboration au système relationnel dominant de celui-ci: «Je reconnais que je ne peux le changer, alors je supporte, je subis, je m'écrase, car je veux rester dans la relation, aussi insatisfaisante soit-elle pour moi. Je prends sur moi les manques ou les excès de cette relation.»
- Il peut y avoir, chez l'un, une acceptation dynamique de ce que propose l'autre. Il fait face, ne conteste pas, ne remet pas en cause la dynamique de l'autre, mais préserve un quant-à-soi qui lui permet de cultiver sa différence: «J'essaie de trouver la bonne distance pour ne pas être trop blessé. Je vis le meilleur qu'il soit possible de vivre avec elle. Je trouve des moments et des endroits où je peux me réoxygéner, me consolider, continuer à exister dans le respect de ce qu'elle est, de ce que je suis...»
- Il peut y avoir une confrontation. L'un peut s'y engager (avec l'espoir d'être entendu) en se définissant chaque fois que c'est nécessaire, en se positionnant non pas en opposition mais en apposition, en s'affirmant vis-à-vis de tous les enjeux présents dans une vie de couple: «Je suis satisfaite sur beaucoup de plans de la relation que nous vivons, il m'arrive aussi de ne pas être satisfaite de certains aspects de la relation que je vis avec toi, mais comme je souhaite poursuivre avec toi, mon désir serait que nous puissions réinventer certains aspects de notre couple, dynamiser autrement notre lien amoureux, revoir notre façon de vivre et de mettre nos biens en commun, améliorer nos échanges, partager des projets, des responsabilités, de façon que ces changements puissent mieux correspondre à ce que je suis et à ce que tu es, et que nous puissions rester ensemble le plus longtemps possible, si tel est ton désir, puisque c'est le mien!»
- Il peut y avoir mise à distance de l'autre. C'est l'ultime alternative à envisager si aucune des précédentes n'a fonctionné. Cette modalité peut avoir plusieurs visages. Elle peut être une séparation provisoire, pour faire le point, ou plus

durable, à travers une séparation de corps, voire de biens, en maintenant ou non le lien conjugal. Elle peut aussi se traduire par un divorce, qui implique la rupture du lien conjugal mais le maintien du lien parental. Chacun retrouve alors la possibilité de s'engager dans une autre aventure amoureuse, de créer un nouveau couple ou une nouvelle famille, dite recomposée.

J'espère que vous percevez combien chacune de ces alternatives repose sur la mobilisation de ressources différentes chez l'un et chez l'autre. Elles ne sont pas toutes bénéfiques en même temps pour les deux partenaires, mais elles demandent toutes du courage pour que le couple ne devienne pas un champ de bataille permanent et qu'il permette à chacun de se respecter et d'inscrire un projet de vie dans la durée.

Réinventer son couple

Un des grands défis lancés aux hommes et aux femmes d'aujourd'hui, c'est de prendre le temps de réinventer leur couple quand ils traverseront certaines phases cruciales de leur vie conjugale. C'est-à-dire qu'ils doivent se donner les moyens de continuer à vivre ensemble sans démissionner, sans brandir la menace d'une séparation, sans pour autant se déchirer ou avoir l'impression d'être enfermés dans une fatalité inévitable. Autrement dit, ils doivent pouvoir nettoyer, dépolluer et réajuster leurs comportements pour se proposer des relations plus adaptées, en fonction de ce qu'ils sont devenus l'un et l'autre. Ils doivent se donner les moyens de clarifier l'évolution de leurs attentes, de leurs apports et de leurs zones d'intolérance.

Cela leur permettra d'éviter un piège fréquent qui est à l'origine de beaucoup de souffrance : que l'un prenne la décision de quitter l'autre, dont il ne veut pas réellement se séparer, parce qu'il ne peut tolérer la nature de la relation que celui-ci lui propose ou lui impose, parce que celle-ci ne lui convient plus du tout. En ne confondant pas « relation » et « personne », on peut dire, comme je l'ai déjà souligné : « Ce n'est pas toi que je veux quitter, c'est la relation que tu me proposes et qui n'est pas bonne pour moi. La personne que je suis devenue renonce à cette relation. J'aimerais pouvoir t'en proposer une autre, qui serait à inventer par toi et par moi pour nous permettre de rester ensemble, si tu le souhaites, puisque je le souhaite aussi ! » Cette alternative est, je crois, positive et créatrice.

Il convient de préciser que ce sont souvent les femmes qui sont porteuses d'une telle demande, qui ont le souci de faire avancer, de faire progresser la communication intime au sein de leur couple ou avec les enfants.

Nous avons vu, tout au long des textes qui précèdent, que vivre en couple c'est risquer d'être confrontés au fait que nos sentiments se heurtent, sans pouvoir s'accorder, à différents enjeux relationnels. C'est découvrir quelques-unes des ramifications complexes qui agitent la vie des sentiments. C'est entendre l'importance de l'imaginaire, qui se nourrit de tous les signes qui circulent dans une relation de proximité où l'intimité est dominante (ou absente). C'est pouvoir remettre à plat tous les dialogues imaginaires qui tourbillonnent dans notre tête et qui provoquent des comportements qui paraissent incompréhensibles ou inadaptés à l'autre, oser mettre des mots, apprendre à verbaliser pour revenir à des échanges plus réels.

« Quand ma compagne disait ou faisait quelque chose qui ne me convenait pas, dit Adrien, j'imaginais toute une kyrielle de monologues, et cela me poussait à adopter des attitudes qui étaient comme des reproches muets, et avec lesquelles, en fait, je lui disais silencieusement mais avec violence ce que je pensais de ses agissements. Cela bouillonnait dans mon crâne. J'entretenais avec elle une relation fictive complètement délirante ! »

« Je ne me rendais pas compte que je parlais à mon mari dans ma tête avec des mots qu'il aurait dû entendre, dit Lison. Ce qui fait que, souvent, je lui reprochais de ne jamais être d'accord avec moi, *de n'avoir rien entendu de tout ce que, en réalité, je ne lui avais pas dit !* C'est ainsi que nous nous sommes éloignés l'un de l'autre, que nous nous sommes perdus de vue, que nous sommes devenus deux étrangers partageant une cohabitation économique minimale, sans plus, et ce, jusqu'à sa mort. Dans les jours qui suivirent, j'ai compris que rien n'est pire qu'une solitude à deux ! »

Si nous veillons à ne pas laisser s'accumuler trop de déceptions, à ne pas amplifier les frustrations qui peuvent résulter de la différence entre les attentes de l'un et les réponses de l'autre, à ne pas désespérer du décalage inévitable entre les rêves et la réalité, alors des accords deviennent possibles. Les tensions vont s'atténuer, les conflits se dissoudre et disparaître, et des réajustements vont se mettre en place.

Réinventer son couple, c'est accepter de grandir de l'intérieur en dépassant notre propre immaturité affective, qui est si présente dans les débuts d'une relation amoureuse. C'est reconnaître qu'il existe des forces d'éclatement et des forces de cohésion qui vont se focaliser autour des situations banales de la vie quotidienne, qui seront le support mais non l'enjeu véritable des conflits qui nous habitent et que nous tentons *de régler sur l'autre!* Si chacun n'alimente pas les malentendus, la relation est vivable et amendable!

Les couples qui dureront seront ceux qui trouveront un équilibre entre les forces d'individualisation, et donc de dispersion possible, qui sont présentes en chacun et les forces de cohésion qui se mobilisent et se confirment dans le désir d'être ensemble. Cet équilibre peut être obtenu grâce à des mises en commun tenant compte des sensibilités, des zones de tolérance et des vulnérabilités de chacun. Il ne suffit pas de compter sur la présence ou la force des sentiments que nous ressentons, mais de renforcer les liens (au lieu de les maltraiter), et de mieux conscientiser quels sont les liants qui seront le ciment de cette relation en particulier, pour dynamiser les forces de rassemblement et de rapprochement.

Après quelques années de vie commune, un nombre important de couples se séparent (pratiquement un sur deux) parce qu'ils ne trouvent pas cet équilibre. Par bonheur, certaines personnes acceptent, après quelques années de tâtonnements plus ou moins conflictuels, de remettre en cause leur mode de vie et de redéfinir les bases de la relation sur lesquelles elles ont construit leur couple, et ce, pour différentes raisons, non seulement parce qu'elles ont mûri, qu'elles ont traversé ensemble différentes épreuves, mais aussi parce qu'elles ont compris et accepté qu'elles ont évolué, et pas nécessairement au même rythme ou dans la même direction. D'autres auront réussi à trouver la bonne distance relationnelle qui leur permet de mieux entendre leurs besoins relationnels dominants et donc de mieux se définir face à l'autre, d'exister sans culpabilité, de se positionner sans s'aliéner, de se respecter en refusant de répondre automatiquement aux désirs du partenaire ou de se sacrifier pour son bien-être, et de sortir des rôles imposés ou choisis pour oser se réaliser.

La remise en cause de la relation entre deux êtres qui s'aiment encore ou qui se sont aimés se fait parfois brutalement, après un événement déclencheur (le départ des enfants, un changement professionnel, une maladie, la tentation d'une relation parallèle, etc.). Cette remise en cause peut aussi avoir mûri silencieusement et se révéler brusquement, à l'étonnement du partenaire. Elle ne vise pas à contester l'autre dans sa personne, mais plutôt à revisiter la relation quand il réalise qu'il y a trois entités au sein de son couple: lui (elle), l'autre et la relation qui les relie depuis tant d'années, relation nourrie ou maltraitée, vivifiée ou dévitalisée par leurs échanges, et pas uniquement par leur amour, comme plusieurs sont tentés de le croire.

Voici quelques actions concrètes pour accompagner ce travail de réajustement:

- Oser découvrir la nécessité de s'accorder du temps pour des partages, des mises en commun, des échanges en réciprocité: «Si notre relation est importante pour nous, alors prenons le temps d'en prendre soin!» Cela peut se traduire par plus d'échanges, c'est-à-dire prendre le temps de se parler, de s'écouter, et de faire plus d'activités ensemble.
- Savoir redéfinir les attentes, les apports de chacun, et ainsi s'autoriser - dans le sens de «se rendre auteur de» - à mieux se positionner par rapport au «recevoir» et au «donner»: «Qu'est-ce que j'attends de toi que je n'attends pas d'un autre?»; «Qu'est-ce que j'ai envie de te donner que je ne donnerais pas à une autre?»
- Veiller à mieux reconnaître ses zones des vulnérabilité ou d'intolérance, et mieux les exprimer: «Voici ce qui me blesse dans tes paroles, tes comportements, tes façons de faire, voici ce qui me semble insupportable, qui me donne le sentiment de ne pas être respectée.»
- Accepter de se remettre en question et de démystifier quelques-unes de nos façons d'être en relation. Nous avons des tics relationnels, des façons d'être qui, même si elles sont tolérées depuis des années, constituent des freins ou des obstacles à des partages ou à des échanges plus profonds.

Nous devons essayer de mieux comprendre, par exemple, que derrière tout reproche ou accusation il y a une demande. Prendre conscience qu'il faut arrêter de parler de l'autre pour avoir le courage de parler à l'autre, et donc, de prendre le risque de parler de soi : de notre ressenti, de nos émotions, de nos sentiments, de témoigner de ce qui nous traverse, nous habite, nous bouscule quand nous sommes confrontés aux demandes, comportements, attitudes, gestes et désirs de l'autre.

- Prendre la décision, en commun, d'être d'accord sur la mise en pratique de quelques « outils et règles d'hygiène relationnelle » qui serviront de plateforme acceptable permettant à chacun d'échanger en réciprocité.

  Nous pouvons convenir, par exemple, que chacun utilisera deux « outils » relationnels très dynamiques : la confirmation et la restitution symbolique des messages toxiques. Par la confirmation, chacun se donne les moyens d'aérer, de décongestionner, d'assouplir une relation : « Si je reçois de toi une parole, un geste, un comportement qui n'est pas bon pour moi, je ne le prendrai pas sur moi, je vais le laisser chez toi en te disant : "C'est ton point de vue, il t'appartient, je ne le partage pas, je le laisse chez toi." »

  Nous pouvons aussi assainir notre relation par la restitution symbolique des messages toxiques venant de l'autre. Cela permet de dépolluer la relation, de ne pas engranger de contentieux et de ressentiments : « Si je reçois de toi un jugement de valeur, une disqualification, un geste ou un comportement qui me fait mal, je te le rendrai symboliquement à l'aide d'un objet qui représentera ce qui n'est pas bon pour moi. »

- Apprendre à respecter les territoires personnels de chacun (temps et espace). Comprendre qu'un couple, c'est la cohabitation d'une double intimité : l'intimité commune et partagée, et l'intimité personnelle et réservée : « Il y a des événements, des moments que je vais partager avec toi, il y a des événements, des moments que je ne partagerai pas avec toi. »

- Être assez lucide pour comprendre que non seulement tout échange provoque un ressenti différent chez l'un et chez l'autre, mais qu'il retentit (c'est-à-dire qu'il fait résonner le passé) de façon très imprévisible chez l'un ou l'autre: «Ce que tu viens de me dire à l'instant réactive chez moi des blessures que je croyais bien cicatrisées»; «Ce que tu viens de faire réveille une angoisse de petite fille qui fait que tu n'as plus une adulte devant toi, mais une enfant un peu perdue!»
- Prendre le risque de s'exprimer sur nos imaginaires et ainsi démystifier certains sujets qui sont au cœur du couple, comme les désirs (bien présents ou défaillants), la vie sexuelle et la sensualité (partagée ou censurée), ou la tendresse (présente ou absente).

Ainsi, à travers une mise en mots, une écoute plus centrée, des échanges plus respectueux et une liberté d'être plus grande, une vie de couple peut se réharmoniser.

Séparations nécessaires et reconstruction d'une autre relation

Les séparations, les ruptures sont rarement souhaitées en même temps par les deux partenaires. La demande ou le souhait de rompre est souvent exprimé par celui qui vit mal la relation, ou par celui qui envisage de s'engager dans une autre relation amoureuse.

Quand un seuil d'intolérance est atteint, quand les conditions pour continuer à se respecter ne sont plus présentes, quand les sentiments se sont délités ou que le désir de rapprochements et de partages sexuels est absent, quand les forces d'éclatement prennent le dessus sur les forces de cohésion, alors les conditions sont réunies pour envisager un divorce ou une séparation physique, et une liquidation des biens communs.

Le divorce, au-delà de la souffrance ou du désarroi qu'il peut entraîner au moment de la crise ou de la rupture, est de moins en moins considéré comme un échec. Il est assimilé par beaucoup (par les femmes surtout) comme un acte de libération, de réconciliation avec soi-même, une évolution, une étape de maturation. Il s'intègre dans un cheminement personnel et devient une expérience de vie. Et même si les faits démontrent qu'il est difficile de reporter les leçons d'une première expérience de couple dans la suivante, il y a quand même une recherche, un désir de poser les bases d'une relation nouvelle plus vivante, plus respectueuse, plus harmonieuse que la précédente.

Les séparations et les ruptures sont aussi l'occasion d'entreprendre, pour les femmes et les hommes, un travail sur soi, et donc de commencer une démarche de changement et de développement personnel qui sera réinvestie dans les relations à venir.

Le couple de demain (le premier, comme ceux qui peuvent suivre) devra donc apprendre à mieux différencier les sentiments et les relations. En effet, avec les meilleures intentions et les plus beaux sentiments du monde, nous pouvons quand même proposer à notre partenaire avec une grande sincérité (et surtout une grande cécité) une relation invivable et aliénante si elle s'appuie sur de la possessivité et le désir de mettre l'autre en dépendance ou de lui proposer des rapports de force plus ou moins subtils menant à du terrorisme relationnel !

J'utilise l'expression « terrorisme relationnel » à dessein. C'est le terrorisme qui sévit dans le lit conjugal, à la table familiale, dans la voiture ou dans tout autre lieu d'intimité du couple. Il peut se révéler plus violent et destructeur que le terrorisme politique, car on le retrouve dans tous les pays de la planète, dans toutes les classes sociales, et sous toutes les latitudes !

Avant de s'engager, de se lier à nouveau, il conviendrait de prendre le risque de s'interroger : quelle dynamique amoureuse et relationnelle est-ce que je propose à mon futur partenaire ? Quelle dynamique amoureuse et relationnelle me propose-t-il ?

Voici quelques balises pour guider chacun des partenaires. Avant de commencer une nouvelle relation, ils devraient pouvoir :

- sonder leur capacité à s'engager, en sachant que, pour s'allier, il faut d'abord se délier. Pour pouvoir se délier, il faut avoir une autonomie affective, relationnelle ou émotionnelle suffisante. S'engager suppose d'être capable de se définir, de se positionner. Ils doivent donc se demander :

  - Quelles sont aujourd'hui, à l'intérieur de l'homme ou de la femme que je suis, mes attentes vis-à-vis de cette personne, dans cette relation-là ?

  - Quels sont aujourd'hui, avec les ressources et la liberté d'être de l'homme ou de la femme que je suis, mes apports ? Qu'est-ce que j'ai envie d'investir, d'apporter, d'offrir à cette personne dans cette relation-là ?

  - Quelles sont aujourd'hui, pour l'homme ou la femme que je suis devenu, mes zones d'intolérance, de vulnérabilité ?

Puis-je partager suffisamment de mon histoire, de mes ressentis intimes, de mes rêves de vie avec cette personne ? Est-ce que je me connais assez pour témoigner des contradictions, des situations inachevées ou des blessures qui restent ouvertes en moi ? ;

- revisiter leur capacité à faire cohabiter à nouveau une intimité partagée et une intimité personnelle et réservée ;
- mettre en pratique quelques règles d'hygiène relationnelle : apprendre à demander (en faisant des demandes ouvertes qui laissent à l'autre de la liberté pour répondre), apprendre à recevoir (à accueillir sans disqualifier, à amplifier ce qui vient de l'autre et qui est bon pour eux), apprendre à donner (sans demander de contrepartie, sans faire de troc relationnel), apprendre à refuser (à prendre le risque de faire de la peine, de frustrer ou de décevoir en disant non) quand cela ne correspond pas à leur position, quand la demande ou l'attente de l'autre ne leur permet pas de se respecter.

Le devenir du couple de demain se jouera à mon avis sur ces quelques points, mais comme le propre de l'humain c'est de réinventer en permanence son devenir, je suis persuadé que les femmes et les hommes des prochaines générations trouveront les moyens de poursuivre cette aventure passionnante, celle de vivre à deux dans la durée, avec comme but le développement du meilleur d'eux-mêmes et de l'autre, et aussi la transmission de la vie, car les enfants sont notre part d'éternité. Ils représentent cette part d'avenir que nous pouvons laisser à l'univers. Ils sont une trace de notre passage en ce monde.

Lettre d'amour à une qui s'en est allée

Te dire, ô ma lumineuse,
toute ma joie et mon bonheur
de t'avoir rencontrée !
Et merci à la Vie
de m'avoir permis de t'aimer
bien au-delà de toutes mes maladresses,
aussi fort, aussi vrai, aussi intensément,
avec toutes mes limites d'homme.

Merci à toi, ô ma vivante,
pour ces étoiles dans tes yeux,
et les sourires que tu inventais,
pour les gestes tendres posés
sur mes inquiétudes.
Merci pour le bleu de ton regard.
et le doux des caresses
que tu as su, si souvent, partager
avec autant d'abandon.

Merci pour les bonheurs,
merci pour les désirs,
merci pour les plaisirs,
merci pour la force déposée
chaque jour en moi,
pour la Vivance,
pour la tendresse douce
et les étreintes folles.

Merci à toi, qui fus le printemps de ma vie,
quand aujourd'hui c'est déjà l'automne.
Te dire encore, ô ma cueilleuse d'amour,
combien j'ai aimé te recevoir
au plein de mon corps,
et garder au plus précieux de moi
ton odeur, tes mots, tes regards
et tes rires douceurs.
Merci d'avoir pu réaliser ton départ,
sans me détruire
comme un envol possible pour toi,
pour moi aussi.

À te revoir un jour
Peut-être dans une autre vie,
où je prends d'ores et déjà une option ferme
pour te retrouver !

Savoir savourer les moments heureux et en garder précieusement la trace

Il faut quand même le dire, il existe beaucoup de moments heureux dans une relation amoureuse. Il y a des découvertes merveilleuses et des instants magiques, des moments sacrés où les partages sont entendus, où des échanges stimulants nourrissent la relation, où des rires, des complicités, des gestes s'accordent et sont amplifiés «jusqu'aux rires des étoiles»!

Il existe des couples qui, après des tâtonnements, des errances, se sont construits solidement. Ils ont été renforcés par les épreuves et se souviennent avec émotion des temps de crise et de la façon dont ils ont puisé dans leurs ressources pour dépasser leurs difficultés.

Il existe des couples qui savent capter les instants de grâce, qui ont appris à protéger en eux, et surtout entre eux, le goût des moments heureux, à thésauriser les périodes bénies, les points forts de leurs parcours.

Il existe des couples qui savent engranger le meilleur et inscrire des souvenirs heureux pour donner du goût à leur quotidien.

Il existe des couples qui ont appris à s'isoler de la pollution ou des agressions de leur entourage.

Il existe des couples qui savent vivre le présent, le recueillir, l'intérioriser et le garder au plus précieux de leurs souvenirs communs pour bâtir un avenir à deux.

«Quand j'écoute une sonate de Bach, dans laquelle chaque note scintille, ruisselle, comme des gouttes d'eau qui seraient à la fois proches et séparées, cela me fait penser aux attentions que nous échangions, qui n'appartenaient qu'à nous, à nos étreintes, à nos gestes uniques, dit Samuel. Chacun de mes regards, de mes sourires, de mes gestes n'était destiné qu'à elle. Elle savait les recevoir comme personne n'a jamais su. Elle pouvait les transformer en caresses, en vibrations, en amour.»

«Quand il ouvre les yeux au petit matin et que tout son visage se déplie, m'accueille, me sourit, je me baigne dans son sourire, je me laisse engloutir par ses yeux, je rentre dans son souffle, c'est tout mon corps qui devient tendresse», dit Laure.

«Dans les premiers temps de nos rencontres je ne savais que recevoir, dit Jean-Paul. Je n'osais donner. C'est elle qui m'a appris, qui a guidé mes gestes, qui m'a transformé de mari en amant, de soupirant en explorateur. J'étais plutôt cérébral, je suis devenu psychocorporel (une variété particulière et peut-être rare d'hommes qui ont appris à se relier à leurs émotions et à tous leurs sens, qui savent entendre la musique de leur corps, qui savent danser leur vie). Je suis devenu un homme qui n'a plus peur de son corps, qui ne se contente plus d'expliquer, mais qui peut entendre et donc comprendre, qui peut se relier à son imaginaire pour mieux sentir, voir, entendre, jouir, éprouver.»

«Elle m'appelle mon cœur, je l'appelle ma douce, et pourtant nous ne sommes d'accord sur rien, dit Bertrand. J'énonce une idée, elle en exprime une autre. Je fais un projet, elle en annonce un autre. Je propose de faire ceci, elle veut me convaincre de faire cela. Et cependant nous sommes ensemble, accordés, heureux, je le sens, car nos façons d'être, nos personnalités semblent stimuler chez l'autre les neurones du plaisir.»

«Ce qui a consolidé notre relation, c'est ce mélange en elle de patience (dans certains domaines) et d'impatience (dans d'autres) qui a dynamisé mon existence, a délogé quelques-unes de mes certitudes, m'a donné le courage de me remettre en cause, de devenir à la fois plus moi-même et autre, dit Bernard. Elle est pour moi un paradoxe vivant et c'est très stimulant. Je rajeunis à chacune de nos rencontres!»

«Nous sommes ensemble depuis vingt-deux ans, dit Édouard. Quand je vois notre parcours, je ressens beaucoup de gratitude pour notre relation. J'ai commencé à comprendre que ce qui nous relie, ce n'est pas uniquement nos sentiments, nos projets, nos intentions, notre désir d'être bien ensemble et notre confort émotionnel et matériel, mais aussi la qualité du lien, de l'attache qui existe entre elle et moi. Un lien souple, mobile, protéiforme, qui sait s'adapter à toutes les situations qui ont traversé et tissé notre vie de couple. Je n'ai pas de mots pour dire ce que ce lien représente à la fois de bien-être, de sécurité, de liberté et de créativité pour chacun de nous. »

« Avec lui, je ris, dit Liane. Je ne sais ce qu'il touche en moi, mais en sa présence, la "joyeuseté" m'habite. C'est comme un courant qui me parcourt. Depuis que je le connais, je me sens légère, souple, ouverte, avec une incroyable capacité à saisir dans les événements cette part de bonheur qui, je ne le savais pas jusqu'alors, habite chaque instant. Je découvre combien il est bon aussi de laisser germer tous les rires qui sont en nous ! »

« Elle me stupéfie par la vivacité de son esprit, par l'ampleur de ses connaissances, la diversité de ses intérêts, dit Guillaume. Avec elle, je me sens plus intelligent, comme si elle me permettait d'accéder au meilleur de moi, et plus encore, à une liberté d'être qui m'étonne et m'émeut, car je ne me connaissais pas ainsi. »

« C'est une relation importante, j'ai envie de dire vitale pour moi, dit Jean-Marc. Par contre, elle n'est pas exempte de difficultés. Par exemple, je donne une grande importance à la communication, au fait de pouvoir me dire et être entendu. Je ne souhaite pas qu'elle confonde ma mise en mots avec une mise en cause d'elle. Je ne cherche pas à la remettre en cause quand je dis mon propre vécu, même si parfois, cela déclenche quand même de fortes émotions chez elle. Elle, de son côté, donne beaucoup d'importance à ses sentiments, à son amour pour moi. C'est comme si cet amour devait lui permettre d'accepter tout ce qui vient de moi. En retour, elle croit que je devrais accepter tout ce qui vient d'elle ! Nous avançons ainsi, avec des plages de vie qui sont délicieuses, pleines, riches, si chargées de bonheur qu'elles me paraissent parfois irréelles. Et puis aussi avec des confrontations si sensibles quand une faille s'ouvre et nous laisse incertains, blessés de part et d'autre, séparés par un gouffre béant qui nous empêche de nous rejoindre. Quelquefois, nous sommes enlacés mais très loin l'un de l'autre, et surtout de nous-mêmes, puis quelque chose se passe, un geste, un regard, quelques mots et la faille disparaît, le gouffre s'évapore, le bonheur apparaît, palpable, encore et encore. Avec elle, je vis à pleine vie. »

« C'est avec elle que j'ai compris le sens profond de l'amour, dit Clément. J'ai découvert que l'amour est un don. Je la sentais entièrement tournée vers moi, me donnant le meilleur d'elle-même, comme pour me permettre de grandir de l'intérieur, d'accéder aussi au meilleur de moi. En ce sens, elle fut une vraie amante qui m'a fait découvrir que je pouvais aussi aimer, dans le don de moi le plus total. Je l'ai aimée dans une plénitude de plus en plus grande. Je me souviens, alors que nous étions très âgés, de la lumière qui scintillait en moi chaque fois que je la regardais. Je me sentais immortel. Elle est partie avant moi et pourtant elle reste présente, et je sais que nous ne nous perdrons jamais là où nous allons nous rejoindre. »

« Avant lui, je ne savais pas que j'étais une femme fontaine, dit Hélène. Je l'ai découvert dans ses bras grâce à sa patience, à son enthousiasme pour mon sexe, à sa façon de l'honorer. Je crois que l'élément déclencheur fut la phrase qu'il me chuchota ce jour-là : "Il est à toi, c'est bien le tien, il est là, tout vivant." Rapporter ainsi ses paroles les fait paraître bien pauvres et peu poétiques, et cependant j'ai été d'un seul coup vibrante, envahie par une boule de chaleur, ouverte. Libérée serait le mot le plus exact, comme dépouillée des entraves que j'ignorais avoir et qui devaient pourtant si fortement emprisonner mon corps. Je me suis sentie allégée de mes peurs, légère, offerte sans retenue. Mon sexe coulait, telle une source, se répandait et lui me souriait, émerveillé, comme s'il assistait à un miracle. On dit que les miracles n'ont lieu qu'une fois. Le mien s'est renouvelé. Il s'est même installé à demeure. Cela dure depuis plus de quinze ans. Il me dit, à chaque anniversaire de cet événement, sa gratitude et sa foi en moi. Je ne cesse de lui témoigner la mienne en lui. »

Pour clore provisoirement ce chapitre, voici une lettre qu'une lectrice m'a envoyée, et qui m'a beaucoup apporté :

« Je vis en couple depuis longtemps, très longtemps. J'ai eu le plaisir de lire quelques-uns de vos livres sur l'amour et le couple, je dois vous dire que je ne vous rejoins pas et même que je suis en parfait désaccord avec vous sur de nombreux points, et en particulier sur une question de *timing* concernant quelques-unes des étapes par lesquelles devrait passer un couple qui envisage de durer. Vous précisez qu'après une phase de fusion, il conviendrait de passer à la différenciation et ensuite à la triangulation. Dans mon expérience, ces phases se vivent ensemble, elles cohabitent en chacun, tout au long de notre vie commune, mais elles se manifestent à des moments différents, ce qui nous oblige à beaucoup de vigilance, à une écoute fine de l'autre et de soi, et surtout, à beaucoup de respect.

Tout cela, au début de ma relation, je ne le comprenais pas. Les comportements de mon compagnon ne me semblaient pas en accord avec les sentiments qu'il prétendait avoir pour moi. À certains moments d'intimité, nous étions très fusionnels, nous fondant l'un dans l'autre, et à d'autres, lui se voulait très différencié, ce que j'acceptais mal. J'aurais voulu qu'il sente, qu'il éprouve, qu'il énonce les mêmes idées, puisqu'il m'aimait ! D'accord, je le sais maintenant, d'ailleurs vous le répétez sans arrêt dans vos articles, vos conférences ou vos livres, je mélangeais sentiment et relation, car pour moi ils devaient rester liés. Quand j'étais avec lui, j'étais en permanence dans un nous qui l'englobait - nous aimions les quatuors de Beethoven et les sonates de Schubert par le pianiste russe Sokolov, nous avions envie de faire un voyage en Grèce, nous avions le projet de planter un arbre, nous pensions vieillir ensemble... Et lui ne supportait pas ce nous, il éprouvait chaque fois le besoin de me renvoyer à ma position personnelle, puis énonçait la sienne, qui comportait de petites ou grandes différences, que moi je voulais nier, toujours au nom de l'amour. En public, il essayait de m'apprendre à ne pas intervenir en son nom lorsqu'il discutait avec son interlocuteur : "Si tu veux intervenir, tu interviens pour ton propre compte, pas pour le mien." Un jour ce fut terrible, cela gâcha deux journées de vacances, j'ai cru que nous allions nous séparer, que nous ne pourrions pas rester ensemble. Il m'a demandé de ne pas poser ma main sur lui pendant qu'il discutait avec quelqu'un : "Ce geste est comme une prise de possession, et surtout il empêche celui qui me parle de me rencontrer réellement. C'est comme s'il devait passer par toi pour me parler", m'a-t-il dit, quasiment en colère ! Ce jour-là, j'ai trouvé sa demande insupportable. Je lui ai parlé d'amour, de notre plaisir à être proches, à nous toucher, de notre complicité. "Oui, oui, m'a-t-il répondu, mais pas dans toutes les situations." Ma référence absolue était l'amour que j'avais pour lui et celui qu'il avait pour moi. Si nous nous aimions, si nous formions un couple, alors chacun pouvait le reconnaître et savoir que s'il s'adressait à lui, il s'adressait aussi à moi, lui ai-je expliqué. "Non, non, m'a-t-il dit, quand quelqu'un est en relation avec moi, il me parle à moi et il s'exprime devant toi, ce n'est pas pareil. Quand il te parle à toi, c'est toi qui deviens son interlocutrice et moi un témoin devant lequel il s'exprime." Je ne comprenais rien à ce discours, qui me semblait trop cérébral, trop psychologique et antirelationnel. J'imaginais même qu'il avait honte de mon amour, comme ces hommes qui ne veulent pas que leur femme les entoure de leur bras en marchant. J'ai mis longtemps à comprendre, et surtout à accepter, que dans certaines situations dans lesquelles l'intimité dominait nous pouvions être dans un "nous" très fusionnel, que dans d'autres plus publiques la différenciation devait s'affirmer, et que dans d'autres encore, qui étaient à la fois intimes et plus sociales, c'était la triangulation qui prenait le dessus, avec le besoin de prendre en compte la relation. Les phases que vous décrivez ne se succèdent pas, elles cohabitent ensemble. C'est ma grande découverte, je vous l'offre ! »

J'ai accepté cette offrande, car elle m'a beaucoup éclairé sur mes propres relations, dans lesquelles je sentais des tensions dont les causes m'échappaient.

Tous ces témoignages expriment l'insupportable, le possible ou l'exceptionnel. Ils confirment que chaque relation est unique, porteuse de son propre cheminement. Il appartient à ceux qui me lisent de se relier à l'une ou l'autre des pages qui jalonnent ces voyages aux pays de l'amour pour mieux entendre et comprendre leur propre recherche.

Ainsi, nous cheminons et avançons non seulement avec notre bonne volonté, mais en ayant des prises de conscience stimulantes, en nous ajustant, en vivant des conflits et des réconciliations qui nous permettent de grandir, et surtout de pouvoir peut-être rester ensemble, grâce à un consensus qu'il faut réinventer tous les jours.

Continuons à rêver l'amour

Un rêve ne peut se comprendre uniquement comme une résurgence du passé proche ou lointain, ni comme un immense réservoir de mélancolie.

Un rêve n'est pas une porte d'entrée aux regrets ou une simple coupure avec le monde, c'est la promesse d'une infinité de possibles.

Un rêve d'amour porte tout cela en lui, et plus encore, et ce, même si on ne guérit jamais de ses enfances, de toutes ces enfances qui jalonnent les premières années de notre existence ; même si on ne guérit pas non plus de ses premiers amours, à la fois fragiles et puissants, porteurs de tant de pureté, de tant de promesses de bonheur et de tant de retenus et de possibles ; même si on n'oublie jamais son premier amour, celui pour qui notre cœur avait tant soupiré, tant imaginé, tant rêvé, mais que la vie a dissous lentement dans les abîmes du quotidien ; même si on croit avoir oublié ses rêves de jeunesse, eux ne nous ont pas perdus de vue, ils sont toujours là, tapis dans les errances de notre présent. Car nos rêves sont sans pudeur, ils sont capables de mélanger les tendres aveux, les douces caresses et la frénésie des désirs et des passages à l'acte les plus osés.

En nous rappelant que l'on aime toujours pour la première fois, quel que soit notre âge, nous percevrons mieux l'immensité des possibles de l'amour. Et si nous affirmons « ce sera mon dernier amour », nous devons savoir que ce n'est qu'une ultime réassurance pour continuer à espérer que notre vie sera encore et encore accompagnée d'un amour nous permettant de faire se rencontrer et s'accorder nos sentiments rêvés et nos sentiments vécus.

L'amour, nous l'avons compris, est une pépinière incroyablement fertile de rêves. Il a un pouvoir de stimulation extraordinairement puissant sur nos imaginaires. Il suscite une créativité féconde pour inventer, créer, faire et défaire des situations amoureuses. C'est un metteur en scène génial pour mettre en place la trame serrée et les ingrédients subtils de drames pathétiques, de comédies légères ou graves et de tragédies parfois violentes.

Mais restons sur l'essentiel. L'amour est avant tout un puissant stimulant de rêves nocturnes chargés d'images, de situations, d'émotions ou de plaisirs parfois plus réels que la réalité, et de rêves diurnes, éveillés, dans lesquels nous tricotons, ciselons, brodons des scénarios banals ou délirants dans lesquels nous avons, en général, le rôle principal, et qui nous donnent le goût de vivre notre existence à temps plein.

En continuant de rêver d'amour, en nous laissant emporter par les rêves qu'il crée sans aucune limite, nous contribuons à augmenter son impact, à propager son influence, à confirmer son pouvoir. Et ceux qui ont abordé à l'un ou l'autre des pays de l'amour et qui en gardent la trace profonde et fertile auront, je l'espère, à cœur de le partager, de le féconder à nouveau autour d'eux.

Un voyage aux pays de l'amour ne peut s'achever, car il doit continuer à irriguer, à magnifier tous nos sens, à nous faire rêver encore et encore.

Voyageurs de l'amour,
audacieux ou prudents,
avertis ou inconscients,
remplis d'émerveillements ou chargés d'épreuves.
Aventuriers du couple,
comblés de plaisirs ou saturés de risques.
Vous qui m'avez accompagné,
qui avez osé parcourir quelques-uns des pays de l'amour
en ma compagnie,
qui avez tenté pour votre propre compte
le passage de la rencontre amoureuse
à la relation de couple.
Amants et amantes,
époux et épouses
confrontés à la découverte,
pas toujours sans risques, de vous-mêmes
et à celle souvent étonnante de l'autre,
merci de votre écoute
et de votre confiance.

Du même auteur

L'effet source, Les Éditions de l'Homme, 2011.

Aimer l'amour, Les Éditions de l'Homme, 2011.

À qui ferais-je de la peine si j'étais moi-même, Les Éditions de l'Homme, 2008.

Parle-moi… j'ai des choses à te dire, Les Éditions de l'Homme, 1982, 2004.

Si je m'écoutais… je m'entendrais, Les Éditions de l'Homme, 1968, 2003.

Coffret : Vivre avec les autres, Vivre avec les miens et *Vivre avec soi,* Les Éditions de l'Homme, 2003.

Vivre avec les miens, Les Éditions de l'Homme, 2003.

Vivre avec soi, Les Éditions de l'Homme, 2003.

Aimer et se le dire, Les Éditions de l'Homme, 1993, 2003.

Une vie à se dire, Les Éditions de l'Homme, 1998, 2003.

Agenda : Chaque jour… la vie, Les Éditions de l'Homme, 2003.

Journal intime : Chaque jour… ma vie, Les Éditions de l'Homme, 2003.

Vivre avec les autres, Les Éditions de l'Homme, 2002.

Jamais seuls ensemble, Les Éditions de l'Homme, 1995, 2002.

Table des matières

Suivez les Éditions de l'Homme sur le Web

Consultez notre site Internet et inscrivez-vous à l'infolettre pour rester informé en tout temps de nos publications et de nos concours en ligne. Et croisez aussi vos auteurs préférés et l'équipe des Éditions de l'Homme sur nos blogues !

EDITIONS-HOMME.COM

Achevé d'imprimer au Canada
sur papier Enviro 100% recyclé